O PODER
SOBRENATURAL
DO PERDÃO

Dados Internacionais de Catalogação na Publicação (CIP)
(Câmara Brasileira do Livro, SP, Brasil)

Vallotton, Kris
 O poder sobrenatural do perdão / Kris & Jason Vallotton; tradução Lena Aranha.
— São Paulo: Editora Vida, 2012.

 Título Original: *The Supernatural Power of Forgiveness*
 ISBN 978-85-383-0260-5

 1. Perdão — Aspectos religiosos — Cristianismo. 2. Vallotton, Jason 3. Vallotton, Kris I. Vallotton, Jason II. Título.

12-12225　　　　　　　　　　　　　　　　　　　　　　　　　　　　　CDD- 241.4

Índices para catálogo sistemático:

1. Perdão : Aspectos religiosos : Cristianismo 241.4

O PODER SOBRENATURAL DO PERDÃO

KRIS & JASON VALLOTTON

Editora Vida
Rua Conde de Sarzedas, 246 — Liberdade
CEP 01512-070 — São Paulo, SP
Tel.: 0 xx 11 2618 7000
atendimento@editoravida.com.br
www.editoravida.com.br
@editora_vida /editoravida

Editor responsável: Marcelo Smargiasse
Editor-assistente: Gisele Romão da Cruz
Tradução: Lena Aranha
Revisão de tradução: Andrea Filatro
Revisão de provas: Josemar de Souza Pinto
Diagramação: Claudia Fatel Lino
Capa: Arte Peniel

O PODER SOBRENATURAL DO PERDÃO
©2011, Kris Vallotton & Jason Vallotton
Originalmente publicado nos EUA com o título
The Supernatural Power of Forgiveness
Copyright da edição brasileira ©2012, Editora Vida
Edição publicada com permissão de Regal Books,
uma divisão de Gospel Light Publications, Inc.
(Ventura, CA 93006, EUA)

Todos os direitos desta edição em língua portuguesa reservados
e protegidos por Editora Vida pela Lei 9.610, de 19/02/1998.

É proibida a reprodução desta obra por quaisquer
meios (físicos, eletrônicos ou digitais), salvo em
breves citações, com indicação da fonte.

■

Exceto em caso de indicação em contrário,
todas as citações bíblicas foram extraídas de
Nova Versão Internacional (NVI)
© 1993, 2000, 2011 by International Bible
Society, edição publicada por Editora Vida.
Todos os direitos reservados.

Todas as citações bíblicas e de terceiros foram adaptadas
segundo o Acordo Ortográfico da Língua Portuguesa,
assinado em 1990, em vigor desde janeiro de 2009.

■

As opiniões expressas nesta obra refletem o ponto de vista
de seus autores e não são necessariamente equivalentes
às da Editora Vida ou de sua equipe editorial.

Os nomes das pessoas citadas na obra foram alterados nos
casos em que poderia surgir alguma situação embaraçosa.

Todos os grifos são do autor, exceto indicação em contrário.

1. edição: dez. 2012
1ª reimp.: ago. 2020
2ª reimp.: mar. 2023

Esta obra foi composta em *Perpetua Std*
e impressa por Promove Artes Gráficas sobre
papel *Polen Natural* 70g/m² para Editora vida.

Dedicatória

Eu (Jason) dedico este livro aos meus amados filhos. A realidade que cada um de vocês tem enfrentado provoca no meu coração muito mais que sofrimento e pesar. E, apesar de ter dado tudo de mim para protegê-los da carnalidade deste mundo, sei que vocês avançarão muito além das circunstâncias turbulentas pelas quais tiveram de passar.

John Adams disse que "povos e nações são forjados no fogo da adversidade", e não existem palavras mais verdadeiras na minha vida que essas. Vocês, meus filhos, são as joias do meu coração e quase sempre foram o maior motivo pelo qual permaneci firme durante um dos períodos mais turbulentos da nossa vida. A minha oração é que um dia a minha obra e as minhas convicções permitam que vocês tornem possíveis os seus maiores sonhos. Orgulho-me de ter vocês como filhos. Vocês foram fantásticos durante a adversidade e são a representação mais maravilhosa da obra-prima de Deus.

Amo vocês com todo o meu ser.

Papai

Sumário

Prólogo 9
Introdução 13
Prefácio — A história de milhares 17
1. Com os quatro pneus arreados 21
2. O inferno chegou para o café da manhã 37
3. Aquele que tem a solução 49
4. A justiça foi feita 63
5. O fruto dos dias difíceis 71
6. Libertando o homem interior 83
7. No conforto da própria dor 93
8. O poder sobrenatural do perdão 114
9. Amor verdadeiro 125
10. Perigo: bandeiras vermelhas 136
11. Você vê o meu íntimo 148
12. Um novo padrão 161
13. O amor tudo sofre 178
Agradecimentos 195
Sobre os autores 197

Prólogo

Este livro é uma chave poderosa para destrancar qualquer coração prisioneiro da dor e pelas lembranças de traumas e experiências do passado. O testemunho transparente de Jason ajudará as pessoas que foram feridas e traídas a encontrar coragem e força para encarar a própria dor. Sua jornada de amor e perdão testifica que não há nenhuma situação que não possa ser alcançada pelo amor e pela redenção de Deus. Deus nos prometeu que, se lhe entregarmos os nossos problemas, não importa quão grandes sejam, ele nos dará em troca sua graça!

Jason e Kris compartilham profundas revelações vindas diretamente do coração de Deus e essenciais para passarmos de uma vida destruída pela dor para uma vida alicerçada na beleza da restauração divina. Os dois fizeram um ótimo trabalho, com muita transparência e comoção, sobre um assunto extremamente delicado. Ao se exporem, abriram o caminho para muitos saírem da prisão da ausência de perdão e caminharem em direção à cura e à liberdade.

Nos meus dezesseis anos de vida missionária em um dos países mais pobres do mundo, já presenciei sofrimentos diversos, mas também já tive o privilégio de ver Deus prover restauração por caminhos extraordinários! No entanto, isso depende de uma das maiores decisões que podemos tomar — a decisão de perdoar. O perdão faz a diferença entre uma vida de contínuo sofrimento e tormento e uma vida de liberdade e redenção muito além dos nossos maiores sonhos.

Por várias vezes testemunhei incríveis mudanças na vida das pessoas que foram vítimas de crueldades inimagináveis, mudanças que excederam nossas expectativas. Isso só foi possível quando cada uma dessas pessoas, com muita coragem, escolheu perdoar. Uma delas é Luís, um dos meus maiores heróis, com quem aprendi o poder do perdão e da misericórdia.

Encontrei Luís nas ruas. Ele estava doente e cheio de ódio, pois tinha sido queimado dentro de sua casa de papelão por gente que no passado se dizia amiga. Eles encheram o papelão de gasolina, amarraram-no ao corpo dele, depois atearam fogo e o abandonaram à morte. As queimaduras no corpo de Luís foram muito graves, e ele permaneceu internado por vários meses em um hospital local em péssimas condições. Estava muito triste e amargurado por ter sido tratado daquela maneira horrível. A miséria em que Luís vivia lhe causava profundo sofrimento, e não havia mais nada do que se orgulhar. Ele urinava nas roupas e morava na sujeira.

Quando conheci Luís, eu o envolvi nos meus braços e lhe falei sobre o grande amor de Jesus. Convidei-o para morar conosco. Naquela época, Luís não era muito misericordioso nem perdoador. Ganhou a vida roubando, brigando e dando facadas! Mesmo assim, eu não desisti de compartilhar com ele sobre Jesus, o homem que abriu mão das riquezas e da própria casa para andar pelas ruas, aquele que desceu dos céus para encontrar cada um de nós. Por fim, Luís confessou: "Preciso conhecer esse homem!".

Certo dia, Luís me procurou e disse que gostaria que eu o acompanhasse pelas ruas para encontrar as pessoas que haviam tentado matá-lo com o intuito de dizer que as tinha perdoado. Vi Luís transbordar misericórdia para muitas vidas nas ruas de Maputo; vi também a graça de Deus transparecer cada dia mais na vida daquele homem tão ferido.

Uma das nossas igrejas na época era bastante diferente. Os encontros eram realizados em um bordel a fim de alcançarmos as prostitutas. Louvávamos a Jesus, orávamos e demonstrávamos o nosso amor pelas mulheres que ali moravam. Mas ainda não tínhamos encontrado nenhuma evidência visível de que as meninas estivessem tentando romper o ciclo destrutivo em que viviam. Algumas delas tinham apenas 10, 11 ou 12 anos de idade e vendiam o corpo em troca de uma latinha de refrigerante. Eu desejava muitíssimo ver Jesus libertar cada uma delas.

Durante um jejum de quarenta dias que fiz, já com muita fome e em desespero, clamei a Deus para que mudasse a situação. Poucos dias depois, as meninas se renderam ao Senhor e, na hora do louvor, de joelhos, começaram a gritar: "Não queremos mais vender nosso corpo". Comecei a chorar de alegria e perguntei a Jesus qual seria o próximo passo. Eu sabia que não podia colocar as meninas no mesmo centro de recuperação dos meninos e tinha de encontrar uma igreja que tivesse um pastor firme que não caísse em tentação. Precisava encontrar um pastor cujo coração estivesse em sintonia com os desejos de Jesus, um coração santo e puro, alguém que não fizesse absolutamente nenhum julgamento.

Depois de clamar a Deus, ergui o rosto e vi Luís orando e louvando a Deus de todo o coração naquela sujeira. Ele ainda não tinha terminado o seminário, pois não sabia ler nem escrever, mas era um homem cheio de compaixão e misericórdia. Luís estava com as mãos erguidas louvando e adorando ao Senhor. Dei-lhe um abraço e perguntei se ele gostaria de ser pastor daquelas meninas. Luís quase perdeu o fôlego de tanto chorar e soluçar perguntando se Deus lhe daria a honra e o privilégio de exercer um trabalho tão lindo. De joelhos, olhou para mim e perguntou: "Será que o amor de Deus é tão grande a ponto de usar um homem como eu?". Luís era uma pessoa muito humilde e transbordava amor! Mudou-se para uma casa nova e menor e começou a pastorear aquelas meninas.

Hoje Luís já está com o Senhor. Morreu de aids. Contraiu a doença na juventude quando morava nas ruas. A vida desse homem transbordava amor, misericórdia e perdão radical, demonstrados para a glória e o louvor ao Rei. Hoje, lá no céu, ele se regozija na presença do Noivo. "Bem-aventurados os misericordiosos, pois obterão misericórdia." (Mateus 5.7.)

Jason e Kris, assim como Luís, escolheram abrir mão daquilo que havia causado tamanha dor e disseram o sim mais árduo para receberem a grande troca que Deus tinha a oferecer. Escolheram seguir os passos da justiça suprema, em que o perdão e a liberdade formam o padrão da justiça, não o rancor e a vingança. A família Vallotton está de parabéns, pois decidiu praticar o amor mesmo em uma situação de extrema dificuldade. Tenho observado a vida dessa família e testemunhei, em primeira mão, como seus integrantes resolveram perdoar e demonstrar tamanha compaixão.

Isso é justiça suprema: mesmo em momentos da mais profunda dor, temos o privilégio, em parceria com Deus, por intermédio do seu amor sem limites, de experimentar a largura, o comprimento e a profundidade de seu glorioso perdão fluindo do nosso íntimo para os outros. Este é o mais elevado chamado que existe e o maior ministério que alguém pode receber, e está ao alcance de todos nós. É a convocação e a ordenança para amarmos tão bem e tão intensamente a ponto de deixarmos o mundo de pernas para o ar!

> HEIDI BAKER, ph.D.
> Diretora fundadora do Iris Ministries
> <www.irismin.org>

Introdução

Nunca passou pela minha cabeça que um dos meus filhos um dia me daria uma notícia tão triste, como a que meu filho Jason me deu no dia em que me visitou no escritório três anos atrás. E nunca imaginei que o que ele tinha para me dizer desencadearia um dos piores pesadelos na história da nossa família. Mesmo assim, permaneci sentado, chocado, tentando entender o que ele estava me contando.

— Pai — ele me disse —, Heather quer o divórcio. Acho que ela tem outro!

Nos dezoito meses seguintes, vi o meu filho se contorcer por causa da dor intensa da rejeição, do abandono e da tristeza. Nos dias difíceis que sucederam àquele encontro, dei todo o suporte para minha família, mesmo cambaleando e tentando entender o inexplicável. Com muito esforço, Jason seguiu em frente apesar de não apresentar nenhum sinal de alívio. Kathy e eu fizemos o melhor que podíamos para responder às inevitáveis perguntas dos filhos de Jason e Heather, os nossos netos. Kathy e eu tentamos de todas as formas confortar a nossa família, mas também fomos feridos, pois parecia que estávamos afogados na nossa própria alma. O meu pai faleceu quando eu tinha 3 anos de idade, e os meus dois padrastos me maltratavam, mas eu nunca havia sentido esse tipo de dor antes.

Choramos juntos, consumimos as nossas reservas de lágrimas de uma vida inteira.

Nessa difícil caminhada, algo muito profundo aconteceu... começando por Jason, o mais machucado de todos. Enquanto o meu filho sofria em seu processo de cura, recebia revelações extraordinárias como estas: "Pai, Deus me mostrou que só quando choramos é que podemos ser consolados". Jason escolheu enfrentar a dor, em vez de fugir dela. No início, cheguei a pensar que ele estava ficando maluco. Cogitei que o meu filho estivesse vivendo uma espécie de fuga para suportar tamanho sofrimento. No entanto, com o passar do tempo, percebi que ele havia escolhido o caminho mais raro que já vi em direção à cura total. E as revelações incomuns recebidas surtiam efeito. Dia após dia, Jason e os meus netos começaram a melhorar, e a alegria estava de volta à vida de todos eles.

Já é bastante difícil processar a dor quando ela é pontual e única, como no caso de um estupro ou da morte de alguém que amamos, mas, se aquilo que causa dor nos fere durante anos, a nossa verdadeira condição emocional e o nosso bem-estar são testados. Quando Heather saiu de casa, Jason começou a organizar os pensamentos em um diário e a compor músicas. De vez em quando, cantava para mim uma daquelas canções ou lia algo que tinha escrito. O diário estava repleto de sabedoria admirável e profundas reflexões sobre o processo de cura pelo qual ele estava passando. Jason começou a usar as novas ferramentas nas aulas que dava na escola de ministério e na igreja. Quando nos demos conta, ele já estava ajudando centenas de pessoas a encontrar a chave para a liberdade da prisão causada pela dor. Quando compartilhava publicamente algo do próprio diário, as pessoas faziam filas para contar as próprias experiências e ouvir seus sábios conselhos. E, neste livro, o meu filho compartilha sua sabedoria e as revelações recebidas.

Não foi um psicólogo familiar que escreveu *O poder sobrenatural do perdão*. Não, este livro foi escrito por duas pessoas, por um filho com um coração partido em milhões de pedaços porque a mulher dos seus sonhos apareceu grávida de outro homem e por seu pai que amava os dois. Jason recebeu as revelações, e ele mesmo as pôs em prática, por isso escreveu a maior parte do livro. Escrevi dois capítulos e colaborei com algumas ideias, orientações e pensamentos em outros.

A nossa oração e o nosso mais sincero desejo é que as palavras deste livro abram caminho para sua completa cura e alegria. Que o próprio Deus encontre você e o leve ao palácio dos seus sonhos durante a leitura.

> KRIS VALLOTTON,
> pai de uma família restaurada

Prefácio

A história de milhares

Desde que eu (Jason) era pequeno, já cultivava a paixão de propiciar a restauração aos feridos. Ainda me lembro da primeira vez em que ouvi as histórias sobre os homens poderosos do rei Davi (v. 2Samuel 23.8-39). Sentado à mesa da cozinha, com olhos arregalados, ouvia o meu pai contar sobre as fantásticas conquistas desses poderosos guerreiros. O meu coração acelerava, não com a ideia de matar milhares de guerreiros apenas com o meu escudeiro (na verdade, o desejo de todos os meninos), mas porque aqueles homens chamados de "poderosos" já tinham sido rejeitados pela sociedade, eram joões--ninguém, infratores malvistos na própria cidade!

Naquele dia uma grande compaixão pelos perdidos tomou conta de mim. As histórias de alguns homens feridos tocaram o meu coração de modo especial e ali tomei silenciosamente a decisão de que dedicaria a minha vida para restaurar os feridos, mesmo sendo eles os maiores responsáveis pela dor de todos à sua volta.

Desde que me tornei pastor, cinco anos atrás, ouvi inúmeras histórias contadas por todos os tipos de pessoas. Grande parte dos relatos, você não desejaria nem para o seu pior inimigo. Mas cada história (incluindo a minha) foi restaurada com os fios dourados da redenção entrelaçados nos tecidos da vida. Na escola, somos treinados a galgar os degraus intelectuais do sucesso. Somos treinados com diligência a fim de estarmos aptos para promoções, adotando a mentalidade de que a felicidade está relacionada à habilidade de alcançar sucesso e estabilidade financeira. Mas descobri que, apesar das infinitas horas de estudos e dos muitos pensamentos com sonhos de conquistas, logo nos vemos sozinhos perguntando o que fazer com a realidade.

Deus não projetou a vida para que fosse complicada, nem para que precisássemos de um manual para entendê-la. Acredito que, em primeiro lugar, somos seres espirituais que possuem um corpo. Muito além dos nossos ossos e da nossa carne, existe o DNA do próprio Deus em nosso íntimo. A Bíblia exemplifica isso bem claro: "Criou Deus o homem à sua imagem, à imagem de Deus o criou; homem e mulher os criou" (Gênesis 1.27).

Fomos criados para termos intimidade e comunhão com Deus e uns com os outros. Mas, por alguma razão, perdemos o sentido do que é viver em intimidade. Uma pessoa normal não tem ideia do que fazer quando o amor esfria.

Exemplifico com algo que retirei do meu próprio diário. Tudo ficará mais claro depois que você conhecer a minha história inteira, mas, por enquanto, fique com este trecho que diz quase tudo.

FOMOS CRIADOS PARA TERMOS INTIMIDADE E COMUNHÃO COM DEUS E UNS COM OS OUTROS. MAS, POR ALGUMA RAZÃO, PERDEMOS O SENTIDO DO QUE É VIVER EM INTIMIDADE.

14/12/09 1h17

É, aqui estou eu no conforto da minha cama, o lugar que sabe tudo de mim. Acabei de colocar a música de Josh Garrels para "repetir", na esperança de que as palavras dessa canção tragam alguma estabilidade à insegurança que estou sentindo agora. Logo, a minha mente entrará na calmaria ociosa do sono e em seguida estarei divagando pelos mesmos pensamentos monótonos mais uma vez. Por quanto tempo terei de esperar por você? Quando é que encontrarei você? Se todas as vezes que essas indagações passassem pela minha mente eu ganhasse 1 dólar, acho que já poderia ter fundado a minha instituição para confortar corações partidos. O problema nesta situação é que nenhuma resposta teórica consegue satisfazer o desejo que essas questões geram. A única solução que trará satisfação é tentar um novo amor mais uma vez, seja lá quando for.

Hoje, quando me sento no mesmo lugar onde estava quando escrevi esse texto no meu diário e sinto o peso dos dois últimos anos guardados em algum lugar na minha mente, isso me traz à lembrança tudo aquilo pelo que passei. De novo, a música de Josh Garrels se repetiu infinitamente, trazendo todas as lembranças dos últimos anos. Apesar de eu ainda me lembrar dos longos dias de dor e de como meu coração estava partido, a grande diferença entre o que passou e o que vivo hoje em dia é que não sou mais prisioneiro da dor, e é por isso que escrevo.

A minha história é a história de milhares. Eu sonhava ter uma casa com cercas brancas e calçadas limpas, um lar que seria a minha fortaleza e me protegeria do mundo enlouquecido. Enfrentei decisões muito delicadas, foi difícil pesar cada decisão, pois eu sabia que o meu futuro seria a consequência das minhas escolhas, mas mesmo assim, por mais cuidadoso que eu fosse, a mágoa havia encontrado morada no meu coração.

Por ter sentido na pele o que é passar pela experiência devastadora de um coração partido, o meu maior desejo é ajudar aqueles que estão enfrentando a dor por causa de uma vida destruída. Ao compartilhar detalhes da minha própria história e de como alcancei a cura completa, espero poder levar muitos de volta à inocência na qual foram criados por Deus e encorajá-los a serem pessoas poderosas em qualquer situação, independentemente da dor que causaram em outros ou do que sofreram por causa de outros.

Não importa qual é o seu passado, onde você esteve, até onde chegou ou o tamanho da sua queda, existe um caminho para a cura total, e hoje você pode dar o primeiro passo em direção a essa possibilidade.

Capítulo 1

Com os quatro pneus arreados

A história da minha vida tem origem muito humilde. Eu (Jason) cresci em uma pequena cidade montanhosa chamada Weaverville, na Califórnia. (Quem sai de "Weaverville" tem de se esforçar muito para se atualizar!) Mesmo fazendo algumas piadinhas da minha cidade caipira, sei que foi ali que o meu coração aprendeu a amar e a minha personalidade foi formada desde a adolescência até a vida adulta. Historicamente, Weaverville foi o pote de ouro no final do arco-íris, um lugar onde as pessoas arriscavam a sorte em busca de sonhos. Weaverville foi fundada na era da corrida do ouro. Pessoas de toda parte chegavam ali e apostavam tudo o que tinham na esperança de enriquecerem rapidamente. Muitos chegaram ali sem nada, muitos até retornaram para suas cidades sem levar nada, a não ser a valorosa experiência de vida forjada pelas circunstâncias, uma história muito parecida com a minha.

Como *Os Pioneiros*

Qualquer criança adoraria ter a família que tenho. Com os três irmãos (duas irmãs mais velhas e um irmão mais velho) e os pais mais amorosos e incríveis do mundo, impossível querer outra família. Sempre comparei a minha família com *Os Pioneiros*. Durante todo o tempo em que morei com os meus pais, só me lembro de ter presenciado uma única discussão mais séria de meus pais e, mesmo quando eles não entravam em um acordo, todos já sabiam que o papai pediria desculpas, e o assunto estaria encerrado.

As situações dramáticas em casa se resumiam ao dia em que um urso tentou entrar pela nossa janela porque a minha mãe tinha orado para que o bichinho se aproximasse. Que pessoa em sã consciência pede uma coisa dessa? Ou quando o meu vizinho vinha reclamar bastante chateado porque o nosso cãozinho dera uma volta com as patas enlameadas no chão de cimento que havia sido limpado momentos antes. Com toda a franqueza, o meu vizinho precisava com urgência de aulas de comportamento, assim como o mundo precisa de Jesus. Acho que ele se esquecera de que morávamos em *Red-Dirt-Ville* (a cidade de poeira vermelha), na Califórnia, e que era impossível manter o chão limpo; portanto, ficar zangado não adiantava nada.

As situações dramáticas em casa se resumiam ao dia em que um urso tentou entrar pela nossa janela porque a minha mãe tinha orado para que o bichinho se aproximasse. Que pessoa em sã consciência pede uma coisa dessa?

Bom, não quero aqui pintar um retrato de que a minha família nunca passou por momentos difíceis, mas grande parte desses momentos se desenrolou sem que eu os notasse. Só depois de mais velho é que entendi quanto custava para os meus pais o sustento do nosso lar.

Os meus pais eram donos do próprio negócio e gerenciavam vários outros, todos eles da indústria automotiva. Consertar automóveis era algo que corria no sangue do meu pai desde criança. Ele aprendera esse ofício seguindo meu bisavô pela fazenda durante toda a infância. O meu bisavô era um bom e velho companheiro. As principais palavras que posso usar para defini-lo são: dentaduras, um par de macacões e um coração enorme. Foi por intermédio dele que o meu pai, quando pequeno, teve uma ideia do que era amor paternal, pois aos 3 anos de idade perdera o pai afogado quando tentou trazer a nado o barco virado até a praia, uma perda que deixou a família extenuada e emocionalmente marcada. Levou muitos anos para aquele trauma encontrar um lugar de paz no coração do meu pai. Para ele, a paixão por carros se tornara um farol de esperança em meio à tempestade. Nessa atividade, ele criou um vínculo de amor com o avô e se sentia cheio de esperança.

Os serviços automotivos podiam dar muita dor de cabeça. Apesar de o meu pai ser o melhor mecânico das redondezas, e sem dúvida o melhor até mesmo das cidades vizinhas, vivíamos em uma cidade de 3 mil habitantes onde a atividade principal era a da indústria madeireira. Os meus pais trabalharam mais de vinte anos com automóveis, cuidando de lojas de autopeças e mecânicas, na esperança de encontrar o pote de ouro ao final do arco-íris, como aconteceu àqueles antes deles. E, assim como *Os Pioneiros*, tudo o que adquirimos foi a sabedoria que os momentos difíceis nos trouxeram e a esperança de dias melhores.

Sempre tivemos mais que o suficiente em casa, principalmente amor, mas tudo foi conquistado com muito suor, lágrimas e esforço. Muitas vezes, víamos o meu pai bem cedo de manhã, no dia anterior ao do vencimento da folha de pagamento, andando de um lado para o outro preocupado, orando e imaginando como conseguiria o dinheiro. Era uma tarefa enorme para alguém que tinha começado do zero.

Será que um dia vou me apaixonar?

O meu pai é o meu herói, o meu melhor amigo, e sempre foi. Assim como na maioria dos relacionamentos entre pais e filhos, nós inventamos as nossas próprias tradições, que eram seguidas à risca, e isso nos ajudou a sermos tão próximos. Uma das tradições é muito antiga, mas me lembro bem dela. Todas as vezes que entrávamos no carro com meu pai, *sempre* falávamos de meninas. Comentávamos sobre tudo, desde como tratar uma moça até as qualidades que eu procurava em uma mulher. O meu pai era especialista em extrair informações íntimas sem que eu percebesse. Eu dizia que ele praticava o "Truque Mental Jedi". Antes mesmo de entender o que estava acontecendo, eu deixava vazar a informação, e daí o estrago já estava feito. De repente, esse assunto passou a me deixar constrangido: as minhas mãos transpiravam, e a minha voz falhava. Eu ficava grudado no banco do carro, tenso, sofrendo por antecipação, pois sabia que as perguntas eram inevitáveis. Hoje em dia, são as lembranças mais agradáveis que tenho da minha infância. Da mesma forma que eu morria de medo daqueles momentos, adorava cada dia mais estar ali.

Comecei a entender o que era amar alguém em um desses passeios de carro com o meu pai, e ali se iniciou a minha história de amor. Durante muitos anos, todas as quartas-feiras à noite, pegávamos o carro e dirigíamos pelas montanhas a mais ou menos 30 km por hora, quase uma caminhada, até Lewiston para jogar basquete e expressar o nosso amor por alguns jovens delinquentes. Essas idas e vindas nos proporcionaram vários momentos de qualidade "sobre quatro rodas".

Em um passeio específico, conversamos sobre a teoria do amor entre um homem e uma mulher. Eu tinha 15 anos na época e estava cheio de dúvidas. Já havíamos discutido esse assunto milhares de vezes, mas naquela noite foi diferente. Comecei a me sentir de uma maneira totalmente diferente. Havia brotado no meu íntimo o anseio de amar e ser amado por uma mulher. Até aquele momento, eu tinha pouquíssimo interesse em meninas, e o meu ímpeto de caçador ocupava até o espaço no meu cérebro reservado para pensar no gênero feminino. Mas lá estava eu expressando em palavras o sentimento que pulsava no meu coração. "Pai, será que algum dia vou me apaixonar por alguém?". Sei que você deve estar pensando: *Mas ele só tem 15 anos, para que tanta pressa?*

Acho que posso ajudar você a me entender, pois, na nossa família, os homens têm o costume de se apaixonar muito cedo. O meu pai selou essa tradição quando pediu a minha mãe em casamento quando ela completou 13 anos de idade. Como um excelente aproveitador de oportunidades, o meu pai achava que não precisava perder tempo se atrapalhando com todos os detalhes de um namoro. Estava apaixonado e então fechou acordo naquela hora, ali mesmo! Bem, lá estava eu ali sentado, derramando o meu coração em busca de uma solução para o anseio dentro de mim. "Será que algum dia vou me apaixonar?" A resposta do meu pai naquela noite foi muito firme: "Vai sim, filho. Você com certeza vai se apaixonar".

Não sei como, mas a resposta do meu pai me despertou uma questão ainda mais profunda: *Será que sou capaz de me apaixonar?* Enquanto eu refletia sobre o assunto, o meu coração ficou apertado e cheio de insegurança.

Uma princesa sem castelo

É interessante como as fases da minha vida têm mudado sem que eu perceba até levar uma grande rasteira. Quando isso acontece, sinto-me como um navio atingido por ondas gigantescas e fico perdido, tentando encontrar de novo o rumo em meio ao caos. E essa mudança em especial não poderia ser diferente.

Ela era a rainha da beleza, algo que eu nunca tinha visto. Bem, pelo menos, não retribuindo os meus olhares. Ela tinha tudo para me fazer agir como um idiota. Deu para entender? Um único olhar dela na minha direção já me deixava gago ou atrapalhado, tropeçando em qualquer obstáculo, uma cena patética para os espectadores. Não sei por que o meu corpo não obedecia ao meu cérebro quando eu me aproximava dela. Eu sempre me forçava a me lembrar da história da tartaruga e da lebre: "Quem segue devagar e com constância, sempre chega primeiro". Eu não precisava ter pressa; afinal de contas, ela morava na casa do meu melhor amigo.

A história de como conheci Heather é bem interessante e talvez até um pouco confusa. O meu melhor amigo do colégio (e continua sendo o meu grande amigo) é Jerome Evans. Os pais de Jerome, Wes e Kathy, têm o coração voltado para as pessoas que precisam de um empurrãozinho na vida. Eram conhecidos por abrigar todo e qualquer tipo de jovem que precisasse de um lugar para ficar ou necessitasse de um pouco de amor à moda antiga. Entre esses jovens, por acaso, encontrava-se Amanda McKay, a melhor amiga de Heather. Amanda, assim como Heather, também era o tipo de menina de tirar o fôlego. Com seus longos cabelos loiros e enormes olhos azuis, era "a chefe" de torcida que segurava os meninos do basquete na quadra mesmo depois de terem perdido o jogo de lavada.

O atributo que mais me chamava a atenção em Amanda não era a beleza de parar o trânsito, mas o amor que ela dedicava a Deus. A jovem era uma inspiração para todos à sua volta, em especial para Heather e também para os meninos que queriam tê-la como namorada. Mas vamos voltar a falar de Heather.

Uma criança no mundo de gente grande

Heather cresceu em um lar desfeito. Palavras duras e ausência de amor faziam parte de sua rotina. Naquela época, a mãe não estava nem aí com nada, era fria emocionalmente e não dava conta de cuidar das necessidades de uma criança. O pai estava em algum lugar além da fronteira canadense correndo atrás de seus sonhos. Heather viveu de casa em casa durante a maior parte da juventude, e quase sempre acabava na casa da avó ou da tia. Com o passar do tempo, começou a ficar cansada da vida nômade. Só precisava de um novo começo, de um lugar onde pudesse encontrar a paz que só a estabilidade traz. Então, aos 16 anos de idade, cheia de expectativas e a promessa de novos horizontes, fez as malas e partiu para a região leste de Salt Lake City, uma menina no mundo de gente grande.

Não demorou muito para que sua agenda estivesse a todo vapor. Trabalhava sessenta horas por semana e quase não lhe restava tempo na parte da manhã. Logo as horas exaustivas de trabalho e a falta de amigos começaram a pesar. A realidade não era tão bonita como achava que fosse.

Mais uma vez Heather se via no fundo do poço e novamente estava pronta para mudanças. Foi mais ou menos nesse período que Amanda foi visitá-la em Utah. Como boa encorajadora que era, e com espírito contagiante, Amanda sempre enchia Heather de esperança. O amor da amiga era tudo o que Heather precisava naquele momento.

Durante as semanas seguintes, Heather começou a ver quanto estava perdendo. Começou a pensar nos pais de Amanda, que a amavam muito, algo que infelizmente ela mesma jamais experimentara. Não foi tão difícil para Heather dizer sim àquela oportunidade; ela sabia que precisava exatamente do que Amanda tinha a oferecer. Não tenho dúvida de que Wes e Kathy já estivessem esperando por isso, mas, mesmo que não estivessem, receberam a ligação de Amanda com muita alegria. "Pai, o senhor pode vir nos buscar aqui? A Heather quer ir morar com a gente".

Na viagem de mudança para a nova família, Heather entregou sua vida a Deus e pôde provar a mesma alegria de Amanda. Até aquele dia, Heather vivera como nômade pelo mundo afora, uma princesa sem castelo. Enfim, havia encontrado o novo começo pelo qual tanto anelava.

> Como boa encorajadora que era, e com espírito contagiante, Amanda sempre enchia Heather de esperança. O amor da amiga era tudo o que Heather precisava naquele momento.

De corpo e alma

A notícia da chegada de Heather me deixou muito interessado. Conheci Heather quando ela tinha 14 anos e me lembro daquele dia como se fosse hoje. Ela estava no parque, sentada sobre uma manta artesanal de tricô, com seus cabelos soltos e olhos verde-escuros, e usava um casaco marrom e vermelho lindo e supermoderno. Ela estava ma-ra-vi-lho-sa. Era 4 de julho, o dia da independência dos Estados Unidos, e eu era o cara mais sortudo do pedaço, pois ao meu lado estavam a loira de olhos azuis, Amanda, *e* sua melhor amiga, Heather. *Valeu, Jesus!* Nem preciso dizer que fiquei um pouco empolgado demais por saber que Heather não só tinha mudado para a casa do meu melhor amigo, mas havia nascido de novo também. No entanto, eu não podia negar um pequeno detalhe: naquela época eu não era tipo "o atleta bonitão", mas um camarada bem *nerd*!

Depois daquela "conversa" com o meu pai no carro sobre encontrar o amor da minha vida, comecei a investir tempo à procura de uma "amiga". Mas, em uma cidade com apenas 3 mil habitantes, as possibilidades de encontrar a "cara-metade" são bem limitadas, principalmente para um garoto que não via a hora de se tornar adolescente. Lá estava eu, desesperado, querendo pular etapas e amadurecer o mais rápido possível. Seguindo o meu padrão de pensamento da época, se eu tentasse imitar a voz desajeitada de um adolescente ao dizer uma palavra ou outra, estimularia a testosterona a entrar em ação de imediato. Não sei se tudo aquilo funcionou de fato, mas situações excepcionais exigem medidas excepcionais, e para mim o tempo urgia. Eu já sabia que Heather estava mudando para a cidade; algo precisava ser feito e rápido!

O nosso relacionamento não passava de uma amizadezinha, sem levar em conta que, todas as noites, eu visitava as minhas amigas e o meu amigo Jerome. Bem lá no fundo, eu sabia não existir nenhuma chance de Heather se interessar por um garoto como eu. Além do mais, os meus amigos também achavam a mesma coisa, até mesmo a melhor amiga de Heather, Amanda.

Lembro-me de ter conversado com o namorado de Amanda, que era um grande parceiro no time de basquete, e contado a ele que estava levemente interessado em Heather. Na verdade, acho que confessei que ela estava me matando por dentro. Ele riu e disse: "Você está viajando na maionese; ela nunca vai dar bola para você". Os garotos que costumavam cortejar Heather eram daqueles que podiam arremessar uma bola a 400 metros de distância e ainda correr outros 40 metros em menos de um segundo. Sabe de que tipo de garotos estou falando? Daqueles que a gente fica com medo só de olhar, porque os seus olhos podem derreter e escorrer pelo rosto diante de tanta virilidade — é desse tipo que estou falando. Mas lá estava eu pondo em prática a ideia da voz desajeitada de adolescente... Agora, pensando bem, entendo que os meus amigos não estavam sendo maldosos comigo; estavam apenas tentando me proteger do inevitável.

Não sou o tipo de garoto que desiste no primeiro obstáculo. Quando as coisas ficam difíceis, boto um bom perfuminho masculino e tomo um banho revigorante. É tudo uma questão de manter o pique e mostrar o meu melhor a cada oportunidade.

Heather e eu nos encontrávamos cinco ou seis vezes por semana, pois pertencíamos ao mesmo grupo de jovens e frequentávamos a mesma igreja (sem contar que eu basicamente "morava" na casa de Jerome). Quanto mais tempo eu passava com aquela garota, mais ficava com os quatro pneus arreados por ela. Afinal de contas, ela era incrível, linda, divertida, adorava esportes e longas caminhadas pela praia, e também era muito cheirosa, algo não muito comum em Weaverville. Apesar de todos esses atributos, o que mais me atraía nela era seu relacionamento com Deus. Essa garota brilhava! Tinha acabado de sair de um contexto de profundo sofrimento e solidão para um contexto de liberdade em tão pouco tempo. Nunca, em toda a minha vida, naquele tempo e hoje, eu tinha visto alguém passar por uma mudança como essa com tanta rapidez. Fazia só dois meses que Heather havia aceitado Jesus como Salvador e estava apaixonada por Jesus. Acompanhei a mudança na vida de Heather dia a dia com os meus próprios olhos.

Apaixonado

Já fazia dois meses que Heather tinha mudado para a casa da família Evans, e eu não sabia mais quanto tempo aguentaria aquela tortura. Essa garota estava mexendo demais comigo! Bem, na época em que decidi preservar o meu coração por questão de segurança, recebi a notícia que havia esperado ouvir por toda a minha vida. Tudo aconteceu em uma noite em um café local chamado *The Mamma Llama*, onde os bambambãs do grupo de jovem se encontravam aos sábados à noite. Os outros colegas da escola estariam em festas, enchendo a cara e dando uns amassos, mas nós, do grupo de jovens, não fazíamos isso. Frequentávamos o café e bebericávamos algum refrigerante.

Bom, lá estava eu batendo um papo com meus amigos, já tarde da noite, e precisava urgente mudar de cenário; depois de algumas sugestões para onde ir, eu, Jerome e alguns outros amigos resolvemos ir para a minha casa. No caminho, dentro do carro, Jerome falou que tinha a melhor notícia da minha vida! Eu até sabia o que ele diria: que tinha acabado de encomendar uma nova arma de fogo Remington 11-87 para a temporada de patos e, se eu tivesse um pouco de sorte, talvez ele me deixasse usá-la.

Para a minha surpresa, não foi isso o que ele disse. Contou que tinha colocado Heather contra a parede lá no café e perguntado o que ela achava de mim. Não consegui prestar muita atenção no que ele dizia. Durante uns dez minutos, tudo parecia se mover em câmera lenta. Parecia aquela cena do *Matrix* em que o Neo, em câmera lenta, esquivava-se dos tiros. Enquanto eu dirigia o carro, Jerome gritou, em altos brados: "Ela acha você lindo!".

EU SOU LINDO!!! *(carro em movimento zigue-zague)*. Acho que nunca havia me sentido daquele jeito. Bom, tudo à minha volta parecia estar em "velocidade *Matrix*"; o mundo começou a andar em passos de tartaruga e parecia que eu podia contar cada letra que saía da boca do meu amigo. Eu estava totalmente envolvido pela serenidade do momento. *Alguém gosta de mim, alguém que eu desejava muito mais que qualquer outro alguém.*

Não restava outra opção para mim, a não ser voltar para *Mamma Llama* e oferecer uma carona a Heather! Sem pensar duas vezes, dei meia-volta com o carro e deixei todos os meus amigos em um lugar qualquer próximo de casa, já que qualquer lugar era perto de tudo em Weaverville. Depois de receber alguns "Boa sorte, amigo", criei coragem; afinal, ela era a garota que me deixava todo bobo. Eu tinha certeza de como ficaria assim que pisasse de novo naquele café; sabia que, quando ela olhasse para mim, as minhas pernas ficariam tão bambas que eu poderia até fingir estar dançando *jazz*.

Mesmo com as mãos transpirando, as pernas tremendo feito vara verde, e o coração batendo a mais de 10 mil batidas por segundo, caminhei com cautela em direção a Heather. E repetia para mim mesmo várias vezes: *Quem segue devagar e em constância, sempre chega primeiro. Não vá com muita sede ao pote. Fale algo simples, do tipo:"E aí? Beleza?"*.

Eu estava completamente envolvido pela serenidade do momento. Alguém gosta de mim, alguém que eu desejava muito mais que qualquer outro alguém.

Quando a noite já estava terminando, tínhamos trocado várias indiretas e boas risadas. Só faltava dar-lhe uma carona para casa. O meu Pontiac 6000 era a única coisa que eu tinha para impressioná-la. O carro não era a máquina mais linda do mundo, mas já tinha passado de tudo comigo, situações boas e ruins. Para você ter uma ideia, algumas semanas antes da fantástica carona, o carro fora usado para transportar um cervo selvagem que eu havia caçado. Esse carro participou com fidelidade de todos os primeiros encontros da família, pois fora o primeiro carro de todos os meus irmãos, uma doação dos meus pais, e, como sou o mais novo, posso dizer com toda a certeza que o meu carro já tinha visto dias melhores. No entanto, Heather não tinha carro. Então, aquela era a oportunidade perfeita para tomar conta da situação: "Quer que eu leve você para casa?", perguntei com aquela voz de gralha nervosa. Ela aceitou de cara, e, em um instante, já estávamos dentro do carro.

No caminho, eu sabia que tinha apenas dois minutos para criar coragem e convidá-la para sair comigo. Em Weaverville, cinco minutos é o suficiente para chegar a qualquer lugar, portanto eu precisava agir rápido. Com certeza eu era determinado como o meu pai na hora de fechar um negócio. A partir do momento em que decido ter alguma coisa, faço tudo para consegui-la e ajo com rapidez, sem delongas.

Como tudo naquela cidade ficava a cinco minutos de distância, a minha mentalidade era programada como um micro-ondas e estava doida para tomar conta de mim, mas não permiti que aquilo acontecesse naquela noite. Quando chegamos à porta da casa de Heather, eu já havia concluído que, se não a convidasse para sair naquela hora, o Sol cairia do céu, e o mundo acabaria em fogo. Então, dei um pulo e perguntei sem rodeios:

— É... hum..., é... eu queria muito... é.... hum... você quer sair comigo um dia desses? Quer?

A resposta dela foi mais segura que a minha:

— Quero, é claro que quero!

—Tudo bem. Que tal sábado?

— Maravilha! combinado!

No caminho, eu sabia que tinha apenas dois minutos para criar coragem e convidá-la para sair. Em Weaverville, cinco minutos é tempo suficiente para chegar a qualquer lugar, portanto eu precisava agir rápido.

Ainda bem que não havia uma filmadora dentro do carro naquela noite, pois, do contrário, eu certamente teria bilhões de "visualizações" no *YouTube*. A minha vontade era sair a 100 por hora, correndo em círculos, mas fiquei ali berrando com todo o meu fôlego e batendo forte no volante, explodindo de felicidade — acabara de convidar a mulher dos meus sonhos para sair, e ela aceitara o convite!

A caminho do destino

Não demorou muito para descobrirmos o amor que sentíamos um pelo outro. Aliás, se não me engano, quando completamos uma semana de namoro, trocamos confissões de amor do tipo "Amo você!". Ela estava apaixonada por mim; e eu, por ela. Tínhamos nascido um para o outro! Nos dois anos seguintes, Heather e eu construímos um relacionamento para durar a vida toda. Nós dois estávamos decididos a investir um no outro — com amor e encorajamento. Estávamos empenhados no sucesso do nosso relacionamento e do nosso futuro juntos.

Heather e eu começamos bem, pois tínhamos feito a promessa de nos guardar, e isso era inegociável — assim, estávamos comprometidos com o casamento. Tudo estava correndo às mil maravilhas até seis meses antes de casarmos. Heather e eu crescemos em mundos muito diferentes. Fui criado em uma família do tipo *Os Pioneiros*, e ela sempre precisou se virar sozinha. Durante o ensino médio, eu era o garoto que só usava camisetas brancas, pois elas serviam para me lembrar de que eu pertencia ao Senhor. Aos 13 anos, firmara um pacto com Deus, prometendo manter a minha pureza sexual até o dia do meu casamento. Heather não teve a mesma oportunidade ou a mesma criação que a encorajasse a esse estilo de vida.

Olhando em retrospectiva, tudo agora faz sentido. Houve um momento em que algo aconteceu no coração de Heather, e ela concluiu que não podia mais encarar um casamento. Certa tarde, ela ligou aflita para o meu pai e disse que precisava conversar. O meu pai, alguém que a ama como se fosse uma de suas filhas, largou o que estava fazendo e pediu que ela viesse até nossa casa. Quando Heather chegou, era possível notar que estava chorando havia muito tempo. Em meio às lágrimas, ela começou a explicar que não era justo estar com alguém que sempre andou corretamente, enquanto ela carregava um passado horrível, cheio de derrotas.

O meu pai, cheio de compaixão, explicou que, por causa da morte de Jesus na cruz, o nosso coração podia ser curado, e o Senhor podia perdoar todos os nossos pecados. Disse também que, quando pedimos perdão a Deus, ele se esquece de todos os nossos pecados, e nós recebemos uma nova chance.

Aquele foi um dia decisivo na vida de Heather, e ela, pela primeira vez depois de muitos anos, sentiu-se limpa por causa da cruz. Assim, ela podia lutar por algo que valeria a pena, sua virgindade! Seis meses depois, trocamos as alianças. Foi o dia mais lindo da minha vida. Lá estava ela montada em um cavalo forte, usando um lindo vestido de noiva de marfim, roubando a atenção de todos os presentes, e ela era só minha. A vida para nós dois estava apenas começando.

A vida a mil por hora

Aos 18 anos, o que uma pessoa sabe da vida? Nessa idade, todos acham que sabem tudo, mas não demorou muito até que eu descobrisse o contrário, gostasse disso ou não. Essa descoberta é a história do nosso casamento nos nove anos seguintes.

Nossa lua de mel foi bem curta, mas apreciamos bastante o período. Agora a vida estava a todo vapor. Morávamos em uma casinha branca, bem pitoresca, de dois quartos em Weaverville. Eu trabalhava com o meu pai, como entregador de autopeças, e Heather cuidava da livraria para a minha mãe. Não sei se você já teve a experiência de trabalhar com a família, mas pode ser a melhor e a pior experiência de todas. Ver os meus pais todos os dias me deixava muito feliz, mas eu odiava a monotonia de entregar autopeças. Que tipo de futuro esse trabalho oferece? Mas, se existe algo de bom que o meu pai me ensinou, foi começar de baixo e batalhar para subir na vida. Nisso ele é muito bom e, por toda a minha vida, apeguei-me a esse ensinamento.

Tudo na nossa vida aconteceu muito rápido e, para não perder o costume, engravidamos em um piscar de olhos, dois meses depois que casamos. Que bênção! Vamos ter filhos! Dia 23 de agosto de 1999, passei a ser pai de Elijah Cannon Vallotton. Esse, sim, foi o melhor dia da nossa vida.

> MAS, SE EXISTE ALGO DE BOM QUE O MEU PAI ME ENSINOU, FOI COMEÇAR DE BAIXO E BATALHAR PARA SUBIR NA VIDA. NISSO ELE É MUITO BOM, E, POR TODA A MINHA VIDA, APEGUEI-ME A ESSE ENSINAMENTO.

Quando eu tinha 24 anos, a casa já estava cheia de filhos, e a vida seguia em ritmo acelerado. Heather ficava em casa com as crianças, e eu trazia o mantimento.

Da infância para a vida adulta

Olhando em retrospectiva, é maravilhoso ver a rapidez com que as coisas mudaram na minha vida desde recém-casado, trabalhando como entregador de autopeças, até ser pai de três crianças, já pronto para exercer a vocação dos meus sonhos. Nós nos mudamos para Redding, Califórnia, e, em menos de cinco anos, eu já estava trabalhando no emprego dos meus sonhos. Se bem me lembro, eu sempre quis pastorear, cuidar de pessoas. Nunca quis ser o "patrão" que prega todos os domingos, mas sempre desejei ser uma peça essencial em uma grande equipe. Mesmo quando criança, o meu coração sonhava em ajudar as pessoas a permitirem que Deus curasse as feridas e as transformassem a fim de que recebessem uma nova identidade dada por Deus.

Em 2005, fui ordenado pastor e pastoreei na faculdade bíblica da Bethel Church. Estávamos vivendo a nossa melhor fase. Conseguimos manter um namoro em que um fazia a corte para o outro até o dia do casamento, passamos por várias provas que a vida sempre nos apresenta, tínhamos três lindos filhos, o emprego dos sonhos e um novo horizonte — enfim, estávamos onde sempre desejáramos!

CAPÍTULO 2

O inferno chegou para o café da manhã

Em um piscar de olhos, nós nos esquecemos de quase tudo o que vivenciamos na vida. Mas disso não me esqueci. Apesar de não saber a hora e o dia exato em que isso aconteceu, lembro-me de tudo com clareza. Eu começara a ler um livro chamado *1776*, uma excelente perspectiva do historiador David McCullough sobre o início da Guerra da Independência dos Estados Unidos. Não me considero nem de longe um amante de livros. Na verdade, se um livro tem mais de 300 páginas, isso já é um bom motivo para eu nem começar a lê-lo. No entanto, depois de pegar esse livro para dar uma rápida passada de olhos, não consegui parar de ler. Fiquei fascinado pelas histórias dos nossos antepassados que deram tudo o que tinham para conquistar nossa liberdade como nação. Aqueles homens lutavam por algo que valia a pena.

Ao lembrar-me dessa época, vejo que eu não tinha ideia do que o meu coração estava sendo preparado para enfrentar; não imaginava que alguns meses depois a minha vida desmoronaria e que, diante de mim, surgiria a oportunidade de ouro para encarar aquele tipo de dor que no final das contas apruma o caráter de qualquer pessoa.

Apenas um desejo

Então, lá estava eu naquele dia fatídico dirigindo na Benton Street e pensando: *Quero ter um caráter igual ao de George Washington...* Se eu fosse esperto, pararia por aí. Fiz o que ninguém deve fazer sem antes olhar para as consequências. O meu pensamento se transformou em palavras audíveis saindo dos meus lábios e, antes de conseguir me conter, declarei: "Eu quero ter o caráter de George Washington".

Não entendo muito bem por que sempre acontece isso, mas acontece. Podemos fazer vários pedidos nas nossas orações, mas parece que Deus decide responder exatamente àquele que *nunca* deveríamos ter feito; talvez essa seja a forma que ele tem para moldar o nosso caráter.

Se eu tivesse pensado um pouco mais, saberia o que estava pedindo. George Washington não viveu livre de provações. Em 1755, escreveu uma carta para sua mãe, durante a Guerra Franco-Indígena, dizendo que havia escapado ileso, mas que tinha "quatro buracos de tiros no casaco, e dois cavalos que cavalguei na guerra foram mortos quando eu estava em cima deles". Dizem que George sempre anunciava que nunca morreria "antes da hora", por isso enfrentava sem medo tudo e todos, fazendo loucuras e realizando valorosas proezas. E lá estava eu orando para ter o caráter igual ao dele.

PODEMOS FAZER VÁRIOS PEDIDOS NAS NOSSAS ORAÇÕES, MAS PARECE QUE DEUS DECIDE RESPONDER EXATAMENTE ÀQUELE QUE *NUNCA* DEVERÍAMOS TER FEITO.

Bem, a Bíblia diz: "Peçam, e lhes será dado" (Lucas 11.9). Eu pedi e recebi! Não sei se você já teve uma experiência semelhante, porém cerca de quatro meses depois a minha vida estava de pernas para o ar. Tudo o que era estável começou repentinamente a estremecer. Essa fase iniciou quando alguém muito próximo da minha família sofreu um terrível colapso nervoso. Gastei longas horas orando por telefone com essa pessoa, lutando com o problema e crendo que a paz poderia mudar a situação.

Aconselhar faz parte do meu trabalho e já ajudei muitas pessoas nessa mesma situação; no entanto, dois meses depois, outro membro da família sofreu o mesmo tipo de ataque. O que estava acontecendo?

Tudo isso começou em outubro de 2007, e já estávamos em dezembro. Às vezes, não sou a pessoa mais "antenada" espiritualmente, contudo podia afirmar que *o inferno tinha chegado para tomar o café da manhã*. A minha esperança era que não ficasse por muito tempo. Infelizmente esse foi apenas o início de dois anos de longas caminhadas que tive de trilhar.

Quando a temperatura cai

Lá estava eu em pleno inverno, mas fui ficando cada vez mais frio por dentro, mais que nunca. Jamais alguém da minha família havia enfrentado algo semelhante, que dirá duas pessoas ao mesmo tempo. O tempo foi passando, e percebi que a situação não seria fácil de resolver; o período escuro e frio dessas duas pessoas parecia ter chegado para ficar.

Acredito não haver nada pior que se sentir impotente e ser mero expectador diante de tão grande desastre. Ver pessoas amadas, dia após dia, entrar em pânico só de pensar em ter de encarar mais um dia, é algo que acaba com a gente. Os problemas precisam ser resolvidos antes que a partida seja dada. Uma vez que o trem está em movimento, é impossível parar, e a coisa se complica cada vez mais!

O mês de fevereiro finalmente chegou e já fazia quatro meses desde que tudo tinha começado. Recebi o novo mês de braços abertos.

O meu desejo era acordar e respirar o ar fresco da manhã e me ver livre do peso contínuo das longas noites escuras.

Conforme o mês se desenrolava, não demorou muito para que eu percebesse que estava me sentindo mais sozinho que de costume. Um detalhe importante que você precisa saber é que se sentir sozinho na minha casa não é uma possibilidade. Tenho três filhos: Evan, o caçula, tinha 4 anos; Rilie, a minha princesa, 6; e, Elijah, o mais velho, 8; além, é claro, da minha linda esposa, Heather, com quem eu já estava casado havia nove anos. Momentos sozinhos em casa, em dia de sorte, só existiam da meia-noite às 6. As outras dezoito horas se resumiam a encher copos com bicos e brincar de luta na sala, fazendo campeonato de MMA (artes marciais mistas) e cuidando de todas as necessidades possíveis e imagináveis. Não existia monotonia por aqui! Mas o meu sentimento de "estar sozinho" não se devia à falta de pessoas, mas à falta de relacionamento.

Se você já está casado há algum tempo, sabe que isso acontece e é apenas uma fase que vivemos como casal. A princípio, não me preocupei com o meu estado emocional; não era a primeira vez que me sentia sozinho em casa e certamente não seria a última.

Muitos outros fatores contribuíam para alimentar esse sentimento no meu íntimo. Alguns se relacionavam ao acidente de carro que minha esposa sofreu. Ela dirigia na rodovia na velocidade de mais ou menos 100 quilômetros por hora, quando um utilitário esportivo bateu em cheio num dos lados do carro, deixando-a com quatro costelas quebradas, um pulmão perfurado e alguns dentes quebrados. Apesar de ela já ter se recuperado do acidente, às vezes as costelas começavam a doer a ponto de Heather ter de dormir no sofá; mas, certa vez, ela dormiu por lá durante duas semanas. E, como você deve ter imaginando, isso não colaborava nem um pouco para a nossa comunicação.

> A PRINCÍPIO, NÃO ME PREOCUPEI COM O MEU ESTADO EMOCIONAL; NÃO ERA A PRIMEIRA VEZ QUE ME SENTIA SOZINHO EM CASA E CERTAMENTE NÃO SERIA A ÚLTIMA.

Por outro lado, eu estava sob muita pressão por causa do problema que a minha família estava enfrentando, e tudo isso perturbava a minha paz. Além disso, eu era pai de três crianças cheias de energia. Então, ali estávamos atravessando momentos difíceis quando tudo o que se pode esperar é que o compromisso de amor nos reaproxime.

Depois de mais ou menos uma semana sentindo-me sozinho, percebi que a solidão não acabaria por si mesma. Heather precisava saber o que eu estava sentindo para que pudesse ajudar a restaurar a nossa falta de conexão. Heather sempre me deu muita atenção ao ouvir os meus desabafos e não tinha dificuldade em expressar seus motivos. Nunca tivemos problemas para compartilhar os nossos sentimentos ou para resolvê-los de uma forma ou de outra. Dessa vez, porém, tudo foi muito doloroso e diferente. Quanto mais eu tentava me abrir e deixá-la ciente do que estava acontecendo comigo, mais ela se distanciava. Parecia que éramos dois ímãs virados do lado oposto, e a comunicação se tornou uma tarefa impossível. A essa altura, eu sabia que estava sobrecarregado e necessitava de ajuda.

Algo estava muito errado

No ano e meio seguinte, tivemos reunião de aconselhamento uma vez por mês. Diferentemente da maioria das pessoas, não gosto de esperar os quatro pneus furarem ou o motor pegar fogo; e, de fato, acredito que podemos aprender e crescer com outras pessoas. Um dos meus pais espirituais trabalha como conselheiro na nossa igreja e, por nos considerar parte da família, tínhamos a oportunidade de sempre nos encontrar com ele. Esperto como sempre fui, ou melhor, sobrecarregado e sem nenhuma conexão já havia uma semana, fiz uma ligação de emergência para Danny.

Eu me sentia muito confortável no escritório de Danny e pensei que, dessa vez, seria como antes. Nós, Heather e eu, não tínhamos muitos problemas no casamento. Quer dizer, não saíamos no tapa ou coisas desse tipo, de modo que imaginei que eu contaria o meu lado da história; e ela, o dela, e Danny faria uma mágica. Depois, tudo ficaria resolvido, e voltaríamos para casa. Pelo menos era isso que eu esperava.

Assim que sentamos, Danny perguntou a Heather o que estava acontecendo. A primeira coisa que ela pediu foi o seguinte: "Jason, você quer sair da sala ou prefere escutar o que tenho a dizer?". Não havíamos conversado durante toda a semana anterior, e percebi que ela estava prestes a revelar algo muito doloroso. Morrendo de medo do que iria ouvir, pedi que ela prosseguisse. Com o rosto coberto de lágrimas, Heather começou: "Nunca gostei de você, não vejo futuro no nosso relacionamento e não sinto paixão da sua parte. Sinto-me como se estivesse morrendo aos poucos ao seu lado".

Enquanto Heather continuava falando, fiquei olhando para ela, tentando entender o que aquilo tudo significava. Como alguém, depois de nove anos de casada e três filhos, pode chegar à conclusão de que nunca sentiu paixão no relacionamento? Como ela pôde achar que eu não sentia paixão por ela ou pela minha vida? Servi essa mulher todos os dias desde que nos conhecemos com amor e respeito. Saí daquela reunião mais ferido e confuso que nunca. A única mulher que amei em toda a minha vida havia acabado de dizer que *nunca* me amara. Aprendi que, quando alguém ama de verdade, sofre as consequências da intimidade.

Uma mudança no coração

Naquele dia, deixei o escritório de Danny com o objetivo de reconquistar o coração de Heather. A minha missão era resgatar a linda paixão que um dia sentimos. Danny comparou a nossa situação com a de dirigir um carro velho. Explicou que um casal que dirige um fusquinha velho por toda a vida e, de repente, tem a oportunidade de dirigir um *Porshe*, sente-se como se nunca tivesse dirigido um carro. Talvez a questão não fosse que Heather não me amasse mais; o nosso relacionamento é que parecia um carro velho em uma estrada solitária, e agora precisávamos de renovação. Se houve algum momento na vida em que precisei de muita coragem, foi esse. Eu precisava mostrar o meu melhor desempenho em campo, e rápido! Precisava pensar em algum plano infalível para fazer essa mulher se apaixonar por mim de novo e se relacionar comigo. Se não fosse por minha causa, que fosse por causa dos nossos filhos.

Primeiro, comecei a trabalhar na nossa conexão. Com o coração na mão, comecei a buscá-la. Nos dois meses seguintes, passei longas horas em oração e pensei muito sobre como colocar em prática os planos que havia formulado para reconquistar aquele coração. Tentei de tudo, desde a combinação de jantares românticos, até procurar estar mais atento à linguagem de amor dela (coisas que posso fazer para deixá-la mais feliz). No entanto, por mais perfeito que tudo fosse, ela permanecia de coração fechado. Ela estava trancada, e a chave tinha sido bem escondida. *Ah, se eu pudesse ao menos entender.* Heather estava aos poucos saindo da minha vida; ela fizera de tudo, menos arrumar as malas e nos deixar.

SE HOUVE ALGUM MOMENTO NA VIDA EM QUE PRECISEI DE MUITA CORAGEM, FOI ESSE. EU PRECISAVA MOSTRAR O MEU MELHOR DESEMPENHO EM CAMPO, E RÁPIDO!

Quando releio as anotações do meu diário daquela época, posso ver quão distantes estávamos, imersos na dor e confusão.

Anotação do diário: 16/04/08

Acabei de conversar com Heather agora à noite. Ela ainda age como se quisesse estar em outro lugar quando estou por perto. Ela fica falando que a gente vê tudo diferente. Perguntei o que era que ela achava ser tão diferente, mas não me explicou. Respondeu que não é assim que vamos resolver as coisas, pois não podemos mudar e, sem mais nem menos, voltar a nos relacionar. Retruquei que entendia e não estava querendo mudar tudo e daí voltar a nos relacionar, mas queria apenas entender o que ela via de tão diferente. Hoje à noite, disse que ela era uma mulher bondosa, e ela respondeu: "Você não precisa dizer isso". Acho que ela deve estar passando por um momento difícil, achando que está me fazendo viver um inferno, e agora deve estar pensando que não me ama de novo, e isso deve fazê-la se sentir mal. Ela é uma mulher maravilhosa e, mesmo passando por isso, a amo e consigo ver o que ela tem de bom. Ela é forte e cheia de vida. Disse que queria se sentir viva. Perguntei por que não estava sentindo-se viva, e ela não conseguiu responder. Entendo que se sentir viva exige restauração interior, e não há nada que eu possa restaurar por ela. Ela mesma terá de encontrar essa "vida", se é que irá achá-la. Ela está mais livre que antes, e se não se sente viva, mas apenas sobrevivendo, então tudo isso deve ser muito desagradável para ela. Não quero que viva assim, Heather. O meu desejo é que você viva uma vida completa e cheia de amor.

Com o passar dos dias, parecia que o meu amor não seria suficiente. Por muito tempo, o nosso relacionamento era tudo de que precisávamos, mas agora os meus melhores esforços não a satisfaziam. O que poderia ter acontecido para ela não querer nem mesmo lutar por nós? Isso tudo não estava ajudando.

A dura realidade

Em 22 de abril, Heather foi passar o fim de semana na cabana da avó para ficar um pouco sozinha nesse processo todo. Depois de dois dias longe, ela voltou do mesmo jeito que saiu: distante. Enfim, cheguei a uma conclusão, pois comecei a perceber que o problema não era comigo, e não havia nada que eu pudesse fazer para consertar as coisas. Se eu a tivesse traído ou sido violento, entenderia a falta de interesse dela em lutar por nós. Mas estar tão distante apenas por querer estar dessa maneira, com o marido e as crianças maravilhosas que tinha, não fazia sentido algum.

Quando ela voltou do fim de semana fora, disse que estava com dificuldades de acreditar em si mesma e começaria a olhar para seu interior a fim de tentar entender o que estava acontecendo. Não sou do tipo de pessoa que fica xeretando e não queria fazer nada pelas costas, mas não podia mais continuar naquela situação.

ENFIM, CHEGUEI A UMA CONCLUSÃO, POIS COMECEI A PERCEBER QUE O PROBLEMA NÃO ERA COMIGO, E NÃO HAVIA NADA QUE EU PUDESSE FAZER PARA CONSERTAR AS COISAS.

Algumas semanas antes, ela havia mudado todas as senhas do computador. Para mim, isso foi muito estranho, uma vez que só eu e ela usávamos o equipamento. Além disso, já havíamos passado por alguns conflitos no passado por ela não ser transparente sobre alguns assuntos importantes. Eu estava começando a me sentir muito inseguro e precisava descobrir o motivo.

Quanto mais eu buscava respostas, mais triste a realidade se mostrava. Comecei a encontrar coisas que eram maléficas para a saúde do nosso relacionamento, coisas que me arrepiavam dos pés à cabeça. Deixei os detalhes de lado por causa dos nossos filhos, mas o resultado foi o mesmo. Toda a minha busca me fez descobrir que ela vinha tendo um caso com um dos meus melhores amigos do ensino médio. Os primeiros parágrafos das anotações do meu diário me fazem em um segundo recordar a dor que a minha descoberta causou.

Anotação do diário: 01/05/08

Você me perguntou se eu estava bem, se eu precisava conversar. Acordei neste pesadelo. A minha esposa ama outro homem. Ela se entregou inteira para ele. Ah, como eu gostaria que isso tudo fosse só um sonho ruim! Aquilo que era para ser meu acabou sendo dele. Você já foi traído alguma vez? Já cortaram até os seus ossos com facadas nas costas? Você já entregou algum dia todo o seu coração e o usaram para açoitá-lo? Já deu a sua vida por alguém? Já serviu alguém com todo o seu ser e, em retorno, ganhou uma lista de reclamações do que fracassou em alcançar?

Entreguei a minha vida a você, entreguei algo em suas mãos, um presente que você nunca imaginou receber; entreguei minha virgindade, o meu amor mais puro. Suportei o jugo da minha mocidade, lutei por tanto tempo para entregar-me tão puro e verdadeiro, tão inocente, que acho que você nem sabia o que fazer com isso. Já teve um homem que lutou por você? Já se sentiu segura por ser conhecida por inteiro por alguém que a valoriza? Você só mostra quem é de verdade para quem já foi ferido como você, porque sabe que será aceito, pois estão no mesmo barco ou em uma situação bem pior. Você nunca me deixou entrar no santuário da sua intimidade e descobrir seu segredo mais íntimo. Eu só conseguia observar a distância e imaginar como seria se tivesse acesso por inteiro em seu coração.

Uma dor mais violenta que a morte me acertou em cheio. O meu corpo estremecia dos pés à cabeça quando percebi o que estava acontecendo. Passei a noite em claro, implorando para ela ficar comigo, embriagado pelo medo e querendo acordar daquela realidade horrível. A minha esposa estava me deixando por outro homem; estava deixando os filhos e a família.

Eu tinha plena consciência do que estava prestes a acontecer. Durante meses, fiquei pensando nos aconselhamentos que dei a pessoas que achavam que a vida delas já tinha acabado. A primeira situação da qual me lembrei desses aconselhamentos foi a dos filhos que contavam quanto estavam feridos porque os pais haviam se divorciado. Eu sabia que em breve teria de olhar nos olhos de cada um dos meus filhos a fim de explicar que a mamãe não voltaria mais para casa. Sabia que, por meses, ficaria deitado na cama com os meus filhos ouvindo-os chorar e tentar entender por que a mamãe preferiu nos deixar. E sabia que teria de contar à igreja que eu pastoreava que o meu casamento havia chegado ao fim. Eu nunca havia passado por um momento tão surreal como no dia em que ela me deixou. Tudo o que cultivamos no nosso relacionamento tinha acabado de sair pela porta junto com ela.

O inferno chegou para o café da manhã

Durante todo o tempo em que estive lendo *1776,* pensei em como George Washington era sortudo, não por ele ter escapado da morte no campo de batalha ou por figurar nos livros de história, mas por ter uma batalha para lutar. George teve a oportunidade de testar a si mesmo com tanta bravura e coragem que a morte perdeu seu aguilhão.

Dizem que verdadeiros heróis são encontrados no campo de batalha e, se o que dizem for verdade, eu estava tendo a minha oportunidade. Lá estava eu, preparando-me para ter o meu caráter forjado como o de George Washington. Eu havia encontrado o meu campo de batalha e, dois meses depois, estava sozinho, sem a minha esposa, e com a vida desmoronada.

A neblina que envolvia minha família foi ficando mais densa, e agora a crise havia atingido o fundo do poço. O inferno chegou para o café da manhã, e era eu quem precisava decidir o que fazer com isso. Assim como George Washington, eu estava no campo de batalha; mas a minha luta era pela liberdade da minha família e pela restauração da vida que um dia conhecemos. A mudança havia chegado e me forçava a pensar se eu possuía tudo o de que precisava para suportar a traição de alguém a quem amava. Aquela seria a última vez que eu e Heather dividiríamos um lar.

LÁ ESTAVA EU, PREPARANDO-ME PARA TER O MEU CARÁTER FORJADO COMO O DE GEORGE WASHINGTON. EU HAVIA ENCONTRADO O MEU CAMPO DE BATALHA E, DOIS MESES DEPOIS, ESTAVA SOZINHO, SEM A MINHA ESPOSA, E COM A VIDA DESMORONADA.

Se você se parece um pouco comigo, deve estar se sentindo injustiçado ou com raiva das decisões de Heather. Não pare de ler. Nos capítulos seguintes, mostrarei como processei a dor da traição e encontrei a verdadeira justiça que traz cura por completo. É um padrão que pode ajudar você a crescer em meio à dor e desenvolver um caráter forte. Uma oração que Deus sente prazer em responder.

CAPÍTULO 3

Aquele que tem a solução

A minha esposa é o "meu pastor". Estou necessitado. Ela tomou o controle, porque eu o entreguei a ela. Estou sendo conduzido pelo caminho da menor resistência, porque não há conforto para a minha alma. Ainda que eu ande pelo vale da sombra da morte, temo o tempo todo, pois ela é a minha fonte. Prepararei uma mesa para a minha esposa e não sentirei necessidades, porque a minha alegria depende dela. Suas palavras e seu toque me confortam, mas só por alguns momentos, porque o toque de Deus é do que realmente necessito. Certamente a impotência me seguirá todos os dias da minha vida, porque acredito que só há uma pessoa poderosa neste relacionamento, e não sou eu.

Infelizmente a minha história é muito diferente do anseio da obra-prima do salmista que fala sobre o conforto e o cuidado amoroso de Deus. Não foi assim que comecei o nosso casamento, como um impotente. O processo de entregar a ela todo o controle foi muito lento durante todo o nosso relacionamento. Mas lembro-me do ápice dessa história — foi no dia em que percebi que precisava fazer de tudo para manter Heather no nosso relacionamento.

Atendendo ao mestre errado

Era 2004, e tenho certeza de que era outono, pois ainda me lembro das folhas douradas que juntei da grama. Naquela noite tínhamos ido visitar os nossos amigos Amanda e Luke. Depois do jantar, as mulheres foram dar um passeio de carro, e os maridos ficaram em casa para fazer algazarra com as crianças, quero dizer, para cuidar das crianças. Se você já tem filhos, principalmente se for mãe, sabe como é bom dar uma volta com uma amiga. Achei que o motivo da demora fosse o alívio de ficar longe da bagunça, mas elas estavam demorando demais.

Quando as duas finalmente retornaram, percebi em Heather uma fisionomia triste e sombria. Era óbvio que algo estava errado. Voltamos para casa em silêncio, e o trajeto pareceu mais longo que o normal. Foi como naqueles momentos em que o silêncio diz mais que as palavras que queremos ouvir. Chegamos à nossa casa e pusemos as crianças para dormir. Quando fomos deitar, Heather disse que precisava contar algo. Eu já tinha ouvido aquela frase naquele mesmo tom de voz, e isso significava: "Está preparado para ouvir o que tenho a dizer?".

Ela começou devagar: "Jason, sofro de bulimia desde os meus 16 anos". E continuou explicando que já havia tentado parar várias vezes, mas nunca conseguiu. Fiquei deitado, em estado de choque, sem saber o que dizer. O que me deixou pasmo não foi o fato de ela ter aquele problema, mas de ter conseguido escondê-lo de mim por todos esses anos.

Heather temia o que as pessoas pensariam se descobrissem o problema, achando que seria rejeitada. Sentia-se fraca e não queria ajuda; seu único desejo era fugir. A realidade estava começando a vir à tona. Eu tinha 24 anos, era pai de três filhos pequenos e havia acabado de descobrir que a minha esposa sofria de um sério distúrbio alimentar e queria desaparecer.

Existem momentos na vida em que achamos ter "chegado" a algum lugar apenas para descobrir que não chegamos a lugar nenhum. Eu já conhecia os efeitos de estar sob pressão. Supervisionara uma equipe de bombeiros durante alguns anos e, por duas vezes, quase morri. Conhecia o peso da responsabilidade por ter de cuidar dos meus homens em meio ao perigo. Também sabia o que era sustentar uma família. Mesmo com toda essa experiência, eu não sabia como passar por esse tipo de pressão. A ideia de que a minha esposa podia me abandonar me deixava literalmente atordoado. Parecia que eu ia desmaiar por causa de tanto estresse. Eu precisava fazer alguma coisa, pois de jeito nenhum poderia continuar naquela situação.

Finalmente tomei a decisão de fazer o que fosse preciso para tirar o peso das costas de Heather. Imaginei que, quanto mais tirasse a pressão dos ombros dela, menos ela se sentiria presa e, então, melhoraria; e, se ela melhorasse, eu ficaria bem. Foi aí que comecei a entregar as chaves da minha felicidade para Heather.

"A minha esposa é o meu pastor" foi o meu lema nos quatro anos seguintes de casamento. Aparentemente (e até para mim), a nossa vida parecia ser real e simples, muito parecida com Jesus. Eu me achava um marido maravilhoso, capaz de deixar as minhas necessidades de lado para servir sem reservas e sem cobranças, para que Heather não tivesse de fazer nada que julgasse dispensável. Pensei que estava sendo "Jesus" para ela, dando-lhe o tempo necessário para ser curada e se recuperar. O problema é que ela havia se tornado a minha fonte de vida.

Eu poderia parar por aqui e dizer que Heather conseguiu enfrentar a tempestade. Alguns dias depois de saber a respeito do problema, encontramo-nos com Danny Silk e com os meus pais em busca de ajuda. Após quase um ano de luta e muita coragem, ela se libertou da bulimia. Mesmo diante de tal libertação, porém, eu continuava a acreditar na mentira que me aprisionava. Era assim que eu pensava: *Se eu tiver necessidades no nosso relacionamento, ela não as suprirá e ficarei sozinho com três filhos e um coração ferido. Sou o* responsável por manter este relacionamento, e sou eu quem tem de tirar toda pressão de cima da minha esposa para que ela fique bem. Sou o recurso de paz e estabilidade de que ela tanto precisa.

"A MINHA ESPOSA É O MEU PASTOR" FOI O MEU LEMA NOS QUATRO ANOS SEGUINTES DE CASAMENTO. APARENTEMENTE (E ATÉ PARA MIM), A NOSSA VIDA PARECIA SER REAL E SIMPLES, MUITO PARECIDA COM JESUS.

A princípio, percebi que, ao me doar mais e ao tirar o peso das costas dela, eu a ajudara a se recuperar, e era isso mesmo o que precisava ser feito. Não havia problema nenhum nas minhas atitudes em querer servir-lhe cada vez mais e exigir cada vez menos dela. O problema é que o meu modo de ver as coisas estava distorcido. Eu construíra uma parceria fundamentada no medo, e essa sensação rapidamente tomou conta de mim.

Seja o que for que cause medo a você, caro leitor, algum dia isso o pode dominar. Esse é o processo em que você permite que a decepção controle sua mente. Tudo começa quando você deixa que mentiras sutis comecem a ganhar espaço sem que se dê conta disso. No primeiro momento, elas parecem fazer sentido, parecem ser a contribuição essencial para o seu bem-estar. Surgem encobertas pelo senso comum e se misturam com a lógica e a razão. Mas a falsidade que carregam é destrutiva e profunda, e as palavras que transmitem não têm nada que ver com o coração do Pai, pois são mera aparência de verdade e da verdadeira luz.

A personalidade ou a visão de mundo de uma pessoa pode ser construída sobre mentiras. Claro que isso é catastrófico para a saúde e o bem-estar do indivíduo, e essas mentiras devem ser quebradas de imediato. A fim de dominar as mentiras destrutivas, temos primeiro de reconhecê-las como mentiras. No entanto, por estarmos quase sempre alheios àquilo que está acontecendo no nosso íntimo, pode ser difícil identificar o que de fato está nos controlando.

Quem ocupa o "trono de Deus" na sua vida?

O salmo 23 mostra uma belíssima situação em que Deus é o maior recurso da nossa vida, livrando-nos da sombra da morte.

> O Senhor é o meu pastor; de nada terei falta.
> Em verdes pastagens me faz repousar
> e me conduz a águas tranquilas;
> restaura-me o vigor.
> Guia-me nas veredas da justiça
> por amor do seu nome.
> Mesmo quando eu andar
> por um vale de trevas e morte,
> não temerei perigo algum, pois tu estás comigo;
> a tua vara e o teu cajado me protegem.
> Preparas um banquete para mim
> à vista dos meus inimigos.
> Tu me honras,
> ungindo a minha cabeça com óleo
> e fazendo transbordar o meu cálice.
> Sei que a bondade e a fidelidade
> me acompanharão todos os dias da minha vida,
> e voltarei à casa do Senhor enquanto eu viver.
> (Salmos 23.1-6)

Esses versículos são revelações poderosas do que acontece conosco quando Deus é o nosso Senhor e a nossa fonte de força. Não apenas somos levados a um lugar de descanso tranquilo, mas também somos renovados ali. O bonito nessa passagem é que ela abrange a vida toda, até mesmo a morte. Davi declara: "Mesmo quando eu andar por um vale de trevas e morte, não temerei perigo algum, pois tu estás comigo; a tua vara e o teu cajado me protegem". Observe que Davi não disse que Deus era seu Pastor porque ele paga sua fiança e o livra de situações ruins, mas quis dizer que Deus o dirige e é fonte de vida em qualquer circunstância.

Deus é o Pastor da nossa vida, mesmo quando caminhamos pelo vale da sombra da morte. Assim, a paz de Deus nos envolve enquanto nos guia. Uma das melhores formas de descobrirmos quem nos está guiando é parar de olhar para as circunstâncias. Qual é a nossa maior fonte de direção, conforto, cura e identidade? Para onde vamos e a quem buscamos para termos as nossas necessidades supridas? Pergunte a si mesmo. Suas respostas revelarão *o que* ou *quem* ocupa o trono de Deus na sua vida.

O perigo é que é fácil achar que Deus está no controle da nossa vida quando tudo está lindo, o sol bilha e as flores desabrocham. O sucesso pode distorcer a nossa visão e nos fazer acreditar que temos algo que na verdade não temos.

A história de Wall Street prova isso. Por exemplo, todas as vezes que o mercado de ações caiu, o pilar de barro que parecia tão seguro e firme desmoronou, deixando em desespero pessoas aparentemente bem-sucedidas. Quando as escamas caem dos nossos olhos, a realidade nua e crua vem à tona. O lado positivo de situações como essas é que as pessoas começam a pedir socorro a Deus. Mas só pedirmos socorro a Deus nos momentos de desespero não significa que ele está no centro do nosso universo. Na verdade, muitas vezes descobri que exatamente o oposto acontecia.

Outro exemplo está no Onze de Setembro, quando as Torres Gêmeas desmoronaram e aquele golpe impetuoso pôs os americanos de joelhos. As pessoas estavam realmente atemorizadas e clamaram em desespero para que Deus as socorresse. Por algumas semanas, parecia que o mundo tinha desacelerado e que todos os cidadãos americanos se voltaram para Deus, temendo que tudo tivesse chegado ao fim. Milhares de pessoas derramaram torrentes de lágrimas nos púlpitos das igrejas, mas não demorou muito para que o susto passasse e a vida voltasse ao "normal", sem Deus.

> O SUCESSO PODE DISTORCER A NOSSA VISÃO E NOS FAZER ACREDITAR QUE TEMOS ALGO QUE NA VERDADE NÃO TEMOS.

Devolvendo o controle a Deus

Não fomos criados para sermos impotentes, influenciados pela felicidade ou pela tristeza que nos rodeia. Em vez disso, a nossa fonte de satisfação vem do próprio Criador. Deus é o único que pode nos oferecer amor e segurança, independentemente das circunstâncias. Entregar a Deus o trono da nossa vida é algo que está ao nosso alcance, mas exige diligência e os passos certos.

Primeiro passo: Arrependa-se

O primeiro passo para restabelecer o trono de Deus na sua vida é o arrependimento. A palavra original para "arrependimento" é *metanoeo*, que significa mudar a forma de pensar! O arrependimento arranca pela raiz os pensamentos inferiores e pecaminosos, substituindo-os pela verdade. Não basta se arrepender por ter tirado Deus de seu lugar por direito na nossa vida; precisamos nos arrepender também dos *motivos* que nos levaram a tirar o Senhor do centro da nossa vida.

É muito importante descobrirmos o que motivou os pensamentos errados no nosso coração. É aqui que muitos dormem no ponto. Arrepender-nos do que fizemos pode até ser genuíno; no entanto, sem saber o que nos levou a agir daquela forma, não conseguimos manter as nossas ações e o nosso coração em sintonia com as nossas convicções. Por isso voltamos ao padrão de pensamento que tínhamos antes.

Quando percebi que havia colocado Heather no trono, precisei fazer uma retrospectiva para entender *por que* escolhi isso, para que pudesse me arrepender de fato.

Segundo passo: Comece a limpar a bagunça

Depois do arrependimento (mudança na forma de pensar), geralmente precisamos voltar atrás e limpar a bagunça toda. Muitos de nós não entendemos muito bem o que é de fato limpar a bagunça. Desde criança somos ensinados que pedir desculpa resolve tudo. Isso não é verdade, pois não resolve coisa alguma.

Sei disso porque tenho três filhos! Em qualquer hora do dia, é só aguardar alguns minutos para uma das crianças começar a agir de uma forma não tão "divertida" com um dos irmãos. Muitas vezes são cenas curtas de ira inflamada pelo impulso do momento ao "discutirem" quem sentará no meio do banco do carro, ou quem comerá a cobiçada e última garrafinha de iogurte de cereja da geladeira. As crianças sempre encontram um motivo para brigar.

Para mim, como pai, é conveniente encerrar a briga o mais rápido e com o menor esforço possível, pois o objetivo é restaurar a ordem, tentando alcançar uma situação manejável com falas do tipo: "Meninos, chega! Elijah! Peça desculpas à sua irmã, ou vai passar o resto do dia no seu quarto!". Bom, sou tão culpado como qualquer um que usa frases como essas. O problema de apenas falar para os filhos o que fazer e o que dizer reside no fato de isso não ser algo que brota do coração. Por isso, qualquer desculpa que eles ofereçam nunca é genuína o bastante para mudar as atitudes, e o problema persiste.

Para que os nossos filhos mudem de atitude, precisam ser capazes de descobrir o motivo que os levou a serem desrespeitosos e, depois, escolher uma atitude diferente para que o pedido de desculpas tenha efeito.

Não é diferente comigo nem com você, pois o objetivo do arrependimento não é pedir apenas "desculpas", mas encontrar a raiz da questão para que possamos corrigir as nossas atitudes.

Terceiro passo: Pense de forma diferente

Muitas situações na vida parecem difíceis de suportar por causa da enorme coragem requerida para reconhecermos que há um problema. Todos nós conhecemos alguém que tem problemas internos sérios, mas nem percebe essa viga nos olhos, embora seja rápido em criticar os ciscos dos outros com o mesmo problema.

Mudando um pouco a metáfora, essas pessoas são vítimas de vampiros. A mentalidade de vítima é um dos pensamentos mais maléficos, pois a vítima é totalmente incapaz de mudar seu ambiente. As vítimas passam um período enorme sugando a vida de todo mundo, pois vivem em um estado de impotência mental. Acreditam que o mundo exterior precisa mudar para que elas se sintam melhor. Uma vez que a vítima não tem nenhum controle sobre o mundo interior, sente um desejo enorme de controlar os outros.

A impotência é o processo de abrir mão daquilo que nos pertence e deixar que outra pessoa tome decisões em nosso lugar. Não podemos consertar aquilo que não queremos assumir. É impossível, simples assim. Assumir as nossas decisões e os nossos problemas é a única forma de algum dia nos tornarmos pessoas saudáveis. Independentemente daquilo em que decidimos acreditar, somos os responsáveis pela nossa vida e pelas nossas atitudes. Quando abrimos mão desse direito, entregando-o a outra pessoa, tornamo-nos impotentes.

Há pouco tempo aconselhei um casal que é um exemplo bem claro dessa mentalidade de vítima. O pedido de ajuda surgiu em uma conversa no Facebook. Sentei para conversar com Jim, meu amigo, e comecei a avaliar o que estava acontecendo. Não demorou para eu me dar conta de que Sarah, a esposa, era uma mulher impossível de agradar. Era como um saco sem fundo, que nunca fica cheio, mas o pior de tudo eram suas muitas reclamações. Ela não respeitava os limites de Jim, principalmente quando as discussões se transformavam em litígio. Para extravasar, Jim sempre acabava esmurrando a parede e esmagando algumas coisas.

— Ela não me deixa ir para outro cômodo, nem me dá tempo para pensar. Fica no meu pé — reclamou Jim. — A Sarah me controla em tudo!

A primeira coisa que pensei foi: *Caramba! Ainda bem que isso não acontece comigo!* Depois de ter deixado Jim falar e desabafar, comecei a fazer algumas perguntas específicas. Primeiro perguntei o que ele já havia feito para melhorar o relacionamento com a esposa.

Houve uma longa pausa e depois um suspiro:

— Bem, acho que... bem... eu estou aqui, não é mesmo? — Jim respondeu.

— Tudo bem — respondi. — Foi você ou foi a Sarah quem quis marcar essa reunião? — Eu já sabia a resposta, mas queria ouvir a resposta do próprio Jim.

— Uh, foi ela — ele admitiu.

Seguindo na mesma linha de raciocínio, perguntei:

— Quem você procurou para o ajudar com relação ao seu casamento?

Jim pensou um pouco e respondeu:

— Bom, às vezes falo com a minha mãe. Na verdade, a minha mãe soube disso porque a Sarah ligou para ela. Ela sempre liga para os meus pais quando não estamos bem.

A partir daí, comecei a enxergar um padrão na vida de Jim. Essas perguntas serviram para descobrir que Jim não falava com ninguém a respeito de seu casamento, nem mesmo com o melhor amigo. Para piorar as coisas, quando perguntei o que fazia para aliviar a dor e a frustração, ele respondeu:

— Eu só tento me esquecer de tudo.

Nem era preciso ser psicólogo para descobrir que os planos de Jim para ignorar a frustração e driblar a dor não estavam funcionando. Esse homem esmurrava as paredes da casa e jogava tudo no chão.

— Jim, parece que o seu plano não está funcionando muito bem! O que você já fez para entender as linguagens do amor da sua esposa? Eu me referia à pesquisa do dr. Gary Chapman sobre as cinco linguagens que as pessoas usam para expressar e interpretar o amor: palavras de afirmação, tempo de qualidade, presentes, atos de serviço e toque físico.

Irritado, Jim retrucou:

— Mesmo que eu me empenhe, parece que nunca consigo agradá-la. Ando muito frustrado nos últimos anos tentando suprir as necessidades de Sarah, mas tudo o que faço parece perda de tempo. — Eu podia ouvir no tom de voz de Jim a frustração que brotava de seu íntimo.

— Jim, o que você vai fazer em relação ao seu casamento?

— Eu não sei. O que eu queria é que Sarah não fosse tão problemática e tão difícil de agradar — respondeu.

Era a hora de dar algum retorno sobre o que eu estava ouvindo.

— Jim, não parece que o problema está apenas nela. Você permitiu que ela fosse a responsável por procurar ajuda. Foi ela quem entrou em contato com os seus pais e comigo. Você não fez nada de prático para melhorar o relacionamento, a não ser as coisas que a fazem reclamar. Além disso, você também não consegue processar a dor e a frustração por não estar se saindo bem. E, para terminar, você ainda acredita que ela é o único problema no relacionamento. Não é de surpreender que ela o perturbe tanto, Jim, pois só assim você reage. Você deu a ela o direito de ser a sua mãe.

OS PLANOS DE JIM PARA IGNORAR A FRUSTRAÇÃO E DRIBLAR A DOR NÃO ESTAVAM FUNCIONANDO. ESSE HOMEM ESMURRAVA AS PAREDES DA CASA E JOGAVA TUDO NO CHÃO.

Eu podia ver a lâmpada explodindo dentro do cérebro de Jim. Pela primeira vez, ele começava a perceber que tinha entregado o domínio para a esposa. Ela se tornou a responsável pela saúde do casamento. E, enquanto Jim cultivasse essa mentalidade, continuaria incapaz de dar um jeito no que acontecia em seu íntimo. Existem muitas pessoas como Jim. Elas inventam um padrão de pensamento que lhes diz que não são responsáveis pelo estado da própria vida, pois é bem menos doloroso acreditar que todos são culpados por seus problemas, menos você mesmo.

Na primeira vez em que conversei com Jim, ele já tinha desistido do casamento. Havia dito para a esposa que iria pedir o divórcio, pois ela estava fazendo dele um pobre miserável. O que Jim não tinha percebido era que, se gastasse menos tempo preocupado com o que Sarah faria e mais tempo tentando descobrir o que ele mesmo poderia fazer, resolveria boa parte dos problemas. Mas Jim nunca havia assumido a responsabilidade pessoal por sua vida e seu casamento, por isso vivia frustrado e sobrecarregado, deixando sua paz e felicidade à mercê da esposa.

> EXISTEM MUITAS PESSOAS COMO JIM. ELAS INVENTAM UM PADRÃO DE PENSAMENTO QUE LHES DIZ QUE NÃO SÃO RESPONSÁVEIS PELO ESTADO DA PRÓPRIA VIDA, POIS É BEM MENOS DOLOROSO ACREDITAR QUE TODOS SÃO CULPADOS POR SEUS PROBLEMAS, MENOS VOCÊ MESMO.

Quando Jim percebeu que havia renunciado à sua autoridade, conseguiu se arrepender da mentalidade de vítima e passou a considerar o que faria para retomar o controle e amar a esposa. Hoje em dia, Jim não é mais a vítima, e seu casamento é agora bastante bem-sucedido!

Sempre digo que, quando qualquer problema é 100% culpa minha, o dia fica lindo! Posso resolver tudo o que for de minha culpa, mas não posso resolver nada sobre o que não tenha controle.

O dia em que você tomar posse da sua vida é o dia em que voltará a ter controle.

Quarto passo: Estabeleça limites saudáveis

Um dos aspectos mais importantes de estar no controle da sua vida é a capacidade de estabelecer limites saudáveis com as pessoas. Em Provérbios 25.28, lemos: "Como a cidade com seus muros derrubados, assim é quem não sabe dominar-se". A pessoa que não tem a capacidade de estabelecer limites acaba se tornando uma cidade com os muros derrubados. Uma cidade indefesa acaba saqueada, não lhe restando nada de valor para oferecer.

Limites pessoais são como os muros de segurança das cidades antigas. A razão para você ter limites saudáveis é se proteger e se cuidar a fim de construir relacionamentos saudáveis com outras pessoas. Sem a capacidade de se proteger, você não pode dar proteção a mais ninguém na vida.

Uma pessoa pode estabelecer limites ao definir quais são suas virtudes, seus valores e suas necessidades, para depois poder relatá-los à pessoa com quem está se relacionando.

Quando conseguimos expressar os nossos limites aos outros, eles têm a oportunidade de respeitar as nossas necessidades e virtudes, bem como de proteger o relacionamento. E, quando os outros valorizam e protegem aquilo que é importante para nós, o relacionamento floresce. Esse processo gera confiança entre nós e os outros.

Outro ponto importante relacionado aos limites é a capacidade de permitirmos que os outros saibam o que podemos e queremos fazer, e o que não podemos e não queremos fazer. Na verdade, temos o direito e a capacidade de estabelecer limites com os outros para a saúde do relacionamento. Não existe relacionamento saudável sem limites saudáveis.

Um das coisas que todos devemos ter em mente quando estabelecemos limites é que o objetivo principal deve ser a estruturação de relacionamentos fortes e profundos com as pessoas. É verdade que esses limites realmente afastam algumas pessoas que se recusam a respeitá-los. Mas o objetivo principal ao dizer às pessoas do que precisamos e o que sentimos é que elas possam fazer o necessário para cultivar um relacionamento saudável conosco, não para que tenhamos uma razão válida de riscá-las da nossa lista de amigos.

Pessoas poderosas sabem do que precisam e o que farão para consegui-lo. São capazes de estabelecer limites porque acreditam que ninguém é responsável por elas. Em qualquer situação, são capazes de ser poderosas e de escolher as reações aos fatos, pois ninguém além de Deus controla o futuro. Quando entendi essa verdade com relação a Heather, deparei com o momento decisivo na minha capacidade de encarar o futuro em paz. Mas ainda precisava me libertar do meu senso de justiça.

CAPÍTULO 4

A justiça foi feita

No dia em que Heather saiu da minha vida por aquela porta, passei a ver tudo embaçado, como se estivesse envolvido por uma densa neblina. O meu coração ferido, esvaindo-se em sangue, clamava por justiça. Afinal de contas, eu não era o único que chorava de dor por causa de uma atitude egoísta. O coração dos meus filhos foi triturado em mil pedaços. Nenhuma palavra pode trazer consolo real àquelas crianças que viram a mãe sair de casa para sempre.

Geralmente nos esquecemos de que as consequências do pecado não afetam só a pessoa que pecou. Na maioria das vezes, os que mais sofrem são aqueles que têm pouca ou nenhuma responsabilidade pelo problema, aqueles que mais amamos. Com os meus filhos não foi diferente. Era fácil eu me imaginar abandonando de vez a cena do desastre e nunca mais precisar encontrar Heather e o namorado. Mas eu passaria o resto da vida criando os meus filhos com a pessoa que mais me magoou e teria de dividi-los com o namorado dela; isso tudo sem levar em conta que esse homem também destruíra a própria família para ficar com a minha esposa e os meus filhos. Para mim, parecia não haver nada mais injusto neste mundo que uma traição no casamento.

Uma mudança no coração

Com o passar dos dias, comecei a pensar e a escrever sobre o que é a verdadeira justiça. Sabia que, seja lá o que significasse, eu a desejava para mim e para os meus filhos. O meu coração doía só de imaginar quanto meus filhos estavam sofrendo, e a dor era mais profunda, pois nem eles nem eu merecíamos essa dor. Comecei a buscar a verdade e a perceber que a justiça era muito diferente do que os meus instintos almejavam.

Sempre me vi como um caubói participando de um duelo no Velho Oeste e espalhando justiça com um revólver. Quantas vezes pensei em fazer justiça com as minhas próprias mãos para ficar quite com Heather, apesar de saber que pagar mal com mal não resolveria nada. Além do mais, se eu me vingasse de Heather e do namorado, a minha atitude seria tão egoísta quanto a deles. Os meus filhos com certeza seriam os que mais sofreriam com a minha atitude destrutiva. Aquilo de que eu realmente precisava era encontrar uma solução para melhorar toda a situação, não botar lenha na fogueira com labaredas fortes e impetuosas.

Toda a minha vida parecia se resumir a duas questões: *O que é a verdadeira justiça? Como posso alcançá-la?* Comecei a pensar nas minhas próprias falhas. Ficava acordado noite adentro, ponderando sobre como as minhas decisões negligentes custaram a vida de um Homem. Não que eu tenha planejado errar, ou que fosse me equivocar de novo e de propósito, mas o fato é que o meu pecado perfurou a carne e os ossos de Jesus, e o meu egoísmo cravou seu corpo. Como se isso não bastasse, foi a minha necessidade de ser aceito que rasgou as costas do Mestre com os açoites dos soldados.

> COMECEI A BUSCAR A VERDADE E A PERCEBER QUE A JUSTIÇA ERA MUITO DIFERENTE DO QUE OS MEUS INSTINTOS ALMEJAVAM.

Somos todos culpados pela morte de Cristo, cada um de nós. Por causa da nossa incapacidade de viver uma vida sem pecado,

Deus entregou seu Filho para pagar pelas nossas falhas e pela nossa incapacidade de viver corretamente.

Deus criou o mundo para que pudéssemos ter um relacionamento maravilhoso com ele. O Senhor nos criou para que fôssemos seus filhos e vivêssemos toda a eternidade com ele. O único fator que nos afastou de Deus foi o pecado. O pecado é o nosso arqui-inimigo, pois acaba com a nossa vida e destrói o nosso relacionamento com Deus.

Isaías descreve uma linda cena do que Jesus enfrentou para perdoar os nossos pecados e nos reconciliar com Deus:

> Quem creu no que pregamos, no que ouvimos e vimos?
> > Quem poderia ter imaginado que o poder libertador
> > > do Eterno seria assim?
>
> O servo cresceu diante de Deus — uma muda mirrada,
> > uma planta atrofiada num campo ressecado.
>
> Não havia nada de atraente nele,
> > nada que nos levasse a olhá-lo com atenção.
>
> Ele foi desprezado e ignorado,
> > um homem que sofreu, que conheceu a dor
> > por experiência própria.
>
> Bastava olhar para ele, e as pessoas se afastavam.
> > Nós olhamos para ele com desprezo,
> > pensamos que era escória.
>
> Mas o fato é que ele levou *nossas* doenças,
> > *nossas* deformidades, tudo que há de errado em nós.
>
> Pensamos que ele era culpado de tudo isso,
> > que Deus o estava castigando por sua culpa.
>
> Mas foram nossos pecados que caíram sobre ele,
> > que o feriram, dilaceraram e o esmagaram
> > — *nossos pecados!*
>
> Ele recebeu o castigo, e isso nos restaurou.

Por meio das feridas dele, somos curados.
Somos como ovelhas que se desviaram e se perderam.
   Cada um de nós fez o que quis, cada um escolheu
   um caminho próprio.
E sobre ele o Eterno descarregou todos os nossos
   pecados, tudo que fizemos de errado.

Ele foi afligido e torturado,
   mas não disse uma única palavra.
Como a ovelha que é levada ao matadouro
   ou o cordeiro para ser tosquiado,
   ele aceitou tudo em silêncio.
A justiça falhou, e ele foi levado —
   alguém de fato sabia o que estava acontecendo?
Morreu sem pensar no próprio bem-estar,
   golpeado e sangrando pelos pecados do meu povo.
Eles o sepultaram com os maus,
   e o jogaram num túmulo com os ricos,
Embora nunca tivesse feito mal a ninguém
   ou dito uma palavra que não fosse verdadeira.
Mas era o que o Eterno tinha em mente desde o início:
   esmagá-lo com sofrimento.
O plano era que ele se entregasse como oferta
   pelo pecado,
   para que assim visse o fruto disso: vida, vida e mais vida.
   E por causa dele o plano do Eterno se realizará.

Daquela terrível angústia da alma,
   ele verá que valeu a pena e ficará feliz por tudo que fez.
Por meio do que ele experimentou, esse justo, meu servo,
   produzirá muitos "justos",
   visto que ele mesmo carregou o peso dos pecados deles.
Por isso, eu o recompensarei generosamente,

com o melhor de tudo, a mais alta honra,
Porque ele encarou a morte e não recuou;
porque ele se ajuntou à companhia dos marginalizados.
Ele tomou sobre os ombros os pecados de muitos
e assumiu a causa de todos os culpados.
(Isaías 53.1-12, *A Mensagem*)

No dia em que morreu na cruz pelos nossos pecados, Jesus revelou o significado da verdadeira justiça. A justiça não mais se encontrava na vingança, mas no perdão. Logo, o ato de não perdoar se tornou injustiça, pois a falta de perdão anula o pagamento que Jesus efetuou com o próprio sangue.

Não há justiça em uma vida destruída!

NO DIA EM QUE MORREU NA CRUZ PELOS NOSSOS PECADOS, JESUS REVELOU O SIGNIFICADO DA VERDADEIRA JUSTIÇA. A JUSTIÇA NÃO MAIS SE ENCONTRAVA NA VINGANÇA, MAS NO PERDÃO.

Essa revelação me deixou muitíssimo abalado e me fez enxergar claramente as minhas circunstâncias. Quando precisei de perdão, Jesus o concedeu a mim! Pela primeira vez na minha vida, percebi que o único modo de alcançar a justiça era orando para que a família de Heather recebesse aquilo pelo qual Jesus pagou o preço, e a única forma de os meus filhos saírem bem dessa confusão toda era ganhando uma mãe perdoada e restaurada por inteiro. A partir do momento em que enxerguei essa verdade, o sentimento de vingança começou a desaparecer. Deixei de ficar acordado a noite toda pensando em um jeito de me vingar e comecei a me preocupar com o bem-estar e a saúde dos meus filhos.

Agora, sim, a justiça foi feita

Todos esses anos, tenho trabalhado com milhares de pessoas vítimas de algum tipo de ofensa. No meu trabalho é comum ajudar pessoas que foram estupradas, traídas ou abusadas, sofreram agressões verbais e mentiras, ou tudo isso junto. Como você já deve imaginar, passar por qualquer uma dessas experiências pode ser devastador. No entanto, o aspecto mais devastador é quando a pessoa afligida toma o lugar de quem o feriu em busca de justiça.

O "carrasco" é um senhor de coração duro, cheio de ódio e rancor. Suas atitudes devastadoras são justificadas por causa do senso extremado de injustiça e pela necessidade de recompensa. Apesar de a pessoa não ser intrinsecamente má, foi enganada e levada a acreditar que o fruto da vingança lhe trará paz. Sei que não é fácil aceitar, ainda mais quando você foi o atingido, mas a verdade é esta: independentemente do motivo que levou o ódio e a amargura a se tornarem os seus melhores amigos, se você carregá-los por aí durante muito tempo, eles o devorarão de dentro para fora.

Se você frequentou a Escola Bíblica Dominical quando criança, com certeza se lembra da parábola de Jesus baseada no princípio do perdão. Na parábola sobre o servo impiedoso, registrada em Mateus 18.21-35, Jesus conta a história de um rei que desejava acertar as contas com seus servos:

INDEPENDENTEMENTE DO MOTIVO QUE LEVOU O ÓDIO E A AMARGURA A SE TORNAREM OS SEUS MELHORES AMIGOS, SE VOCÊ CARREGÁ-LOS POR AÍ DURANTE MUITO TEMPO, ELES O DEVORARÃO DE DENTRO PARA FORA.

"Quando começou o acerto, foi trazido à sua presença um que lhe devia uma enorme quantidade de prata. Como não tinha condições de pagar, o senhor ordenou que ele, sua mulher, seus filhos e tudo o que ele possuía fossem vendidos para pagar a dívida. "O servo prostrou-se diante dele e lhe implorou: 'Tem paciência comigo, e eu te pagarei tudo'. O senhor daquele servo teve compaixão dele, cancelou a dívida e o deixou ir. "Mas, quando aquele servo saiu, encontrou um de seus conservos, que lhe devia cem denários. Agarrou-o e começou a sufocá-lo, dizendo: 'Pague-me o que me deve!' "Então o seu conservo caiu de joelhos e implorou-lhe: 'Tenha paciência comigo, e eu lhe pagarei'. "Mas ele não quis. Antes, saiu e mandou lançá-lo na prisão, até que pagasse a dívida. Quando os outros servos, companheiros dele, viram o que havia acontecido, ficaram muito tristes e foram contar ao seu senhor tudo o que havia acontecido. "Então o senhor chamou o servo e disse: 'Servo mau, cancelei toda a sua dívida porque você me implorou. Você não devia ter tido misericórdia do seu conservo como eu tive de você?' Irado, seu senhor entregou-o aos torturadores, até que pagasse tudo o que devia".

Seria ótimo se a parábola parasse por aqui, não é mesmo? Mas Jesus pronuncia mais uma frase que torna essa história bastante pertinente: "Assim também lhes fará meu Pai celestial, se cada um de vocês não perdoar de coração a seu irmão" (Mateus 18.35).

O princípio dessa parábola é simples e profundo. Quando somos perdoados muito além do que podemos pagar, espera-se que perdoemos da mesma forma. No momento em que nos esquecemos daquilo que sem cobrança nenhuma nos foi dado, o nosso egoísmo se torna um tormento.

Por causa do que Cristo fez por nós na cruz e da missão que nos foi dada, temos de permitir que a natureza dele viva em nós para que outros sejam atraídos a ele, ou melhor, como diz a Bíblia, sejam "reconciliados" com ele. Portanto, não podemos agir como carrascos vingativos e, ao mesmo tempo, fazer parte do Reino de Deus; isso simplesmente não funciona!

Em 2Coríntios 5.17, Paulo ensina que cada um de nós é *nova criação* em Cristo. E prossegue explicando que Deus reconciliou o mundo consigo mesmo, não levando em conta os nossos pecados (v. 19). Depois o apóstolo nos lembra que nos confiou a mensagem da reconciliação (v. 19). Quando começamos a estudar essa passagem mais a fundo, percebemos que a nossa missão como crentes em Jesus não é convencer o mundo de seus pecados, mas reconciliar o mundo com Cristo, perdoando-o. A justiça que reivindicamos quando somos ofendidos será feita quando ajudarmos a reconciliar o mundo com Jesus!

Não há justiça em uma vida destruída. A verdadeira justiça só é feita quando cada pessoa recebe o que Cristo pagou na cruz.

Capítulo 5

O fruto dos dias difíceis

É comum encontrarmos a beleza da vida escondida logo após passarmos por algum sofrimento. O fato de você estar lendo este livro diz que é bem provável que entenda pelo menos um pouco do que estou falando. Há uma bênção separada para nós quando suportamos os momentos difíceis, pois o caminho da cura nos leva à perseverança. É crucial termos a mentalidade certa quando estamos sendo provados para chegarmos vitoriosos do outro lado.

A cultura atual apresenta, nesta era da informação, uma expectativa por recompensa instantânea. Esta era nos roubou o entendimento da bênção que existe em perseverar e nos roubou as lições sobre plantar e colher. Então, devemos observar nas páginas seguintes dois pontos de vista bem diferentes que representam o caminho para um futuro abençoado e um caminho à espera constante de dias melhores.

Precisamos desenterrar os tesouros tão necessários para a completa cura e bênção na nossa vida pessoal. Os princípios deste capítulo ajudaram a me esquecer da minha situação de dor a fim de receber as bênçãos que as dificuldades podem nos trazer.

Considere a vida de um agricultor

A dor do cultivo! Mas, ah!, a recompensa da colheita! Bolhas estouradas estão presentes nas mãos do agricultor que trabalha para afofar o solo queimado pelo sol. O agricultor fica exausto por causa do sol escaldante e não tem como escapar da poeira que se levanta por causa do seu trabalho. Ele labuta do amanhecer ao anoitecer, dia após dia, para produzir algo de que não poderá desfrutar durante os meses que virão. O trabalho é incansável, sem fim e penoso. Afofar o solo endurecido representa apenas a primeira fase desse longo processo de semeadura.

É o fruto dos momentos difíceis que levará o agricultor aos bons momentos. O fruto gerado na labuta trará bons resultados no futuro. O agricultor conhece e entende esse princípio, pois esse valor lhe foi ensinado por seus antepassados. Ele não se preocupa com o preço alto que está pagando no momento, nem se inquieta se a semente brotará. É diligente no trabalho e sabe muito bem que aquilo que plantou hoje crescerá amanhã. Gerações antigas repassaram a certeza e a fé com que ele opera no presente. A experiência lhe proporcionou a convicção do resultado, e ele sabe que seu trabalho não será em vão.

Nem todos têm a perspectiva de um agricultor quando enfrentam as dificuldades da vida e, sem isso, acabam falindo, como o preguiçoso. Examinemos a seguir o estilo de vida do homem que não entende o princípio de semear agora e colher depois.

O preguiçoso

Ao preguiçoso falta visão. Ele não tem gerações de sábios em quem se apoiar. Dorme durante o dia de trabalho, pois acredita que a única recompensa de um dia de trabalho pesado debaixo de sol quente são bolhas e insolação. O preguiçoso não nutre expectativas de bons frutos no futuro nem de uma colheita abundante. Na verdade, ele nem se preocupa com o futuro porque está ocupado em sobreviver hoje com o mínimo de esforço. Ninguém lhe ensinou o segredo dos dias difíceis, e ele só conhece o lado penoso de um trabalho duro e pesado.

A visão que o preguiçoso tem do mundo justifica a vida que leva, pois, para ele, é melhor mendigar no inverno que se sacrificar na primavera. Uma pessoa com essa mentalidade jamais ficará satisfeita. Vive a vida como se tivesse anemia espiritual e emocional, sempre desejando possuir o que outros têm. As crises o perseguem, da mesma forma que os cobradores de impostos procuram os devedores. Não estou me referindo ao faminto que planta de acordo com aquilo que ganha, mas àquela pessoa que só quer receber e não tem nenhuma visão para semear. Para ser sincero, todos nós mantemos uma área que conserva a perspectiva do preguiçoso. Pode não representar toda a nossa vida, mas apenas parte dela.

A "mentalidade empobrecida" contaminou a nossa geração e funciona como uma doença hereditária. Herdamos, geração após geração, essa depressão e a incapacidade de alcançar todo o nosso potencial. A mentalidade empobrecida diz: "Nunca temos o suficiente. Não importa o que eu faça, serei sempre assim". Também expressa algo do tipo: "Se pelo menos eu recebesse um empurrãozinho como todo mundo recebe, teria conseguido algo melhor". Essa mente oprimida equivale à prisão da falta de esperança. Uma vez que esse pensamento se estabelece, suas vítimas são tomadas pela desmotivação e pela falta de visão.

> PARA SER SINCERO, TODOS NÓS MANTEMOS UMA ÁREA QUE CONSERVA A VISÃO DO PREGUIÇOSO. PODE NÃO REPRESENTAR TODA A NOSSA VIDA, MAS APENAS PARTE DELA.

Visão de longo alcance

Examinemos o fazendeiro mais uma vez e observemos como ele enxerga a vida, pois acredito que, se agirmos do mesmo modo, poderemos vislumbrar alguns passos práticos para superar o pensamento empobrecido, algo que nos ajudará a colher o fruto dos tempos difíceis.

Primeiro passo: Semeie com lágrimas de alegria!

Em Salmos 126.5, lemos: "Aqueles que semeiam com lágrimas, com cantos de alegria colherão". Esta passagem ilustra o que acontece quando um agricultor planta em tempos difíceis. Durante a era agrária, se não chovia e as plantações não se desenvolviam, o ano da colheita era bastante limitado. Muitas vezes, não sobravam sementes suficientes da colheita anterior para plantar, colher e alimentar a família. Logo, o agricultor e sua família se viam diante de um dilema: Comeriam a semente que precisava ser plantada para ficarem livres da fome por um momento? Ou deveriam ficar sem comida e plantar a semente para terem uma boa colheita no ano seguinte?

Sem visão, esse agricultor satisfaria seu estômago e abriria o caminho para a pobreza! Podemos ver nesse trecho que o agricultor estava enxergando mais longe. A motivação do agricultor para semear com lágrimas de alegria era o fato de que, enquanto plantava a semente, tinha em mente a fome da família, mas também a grande colheita que viria romper o ciclo de pobreza.

Alguns estão presos à perpétua espiral em derrocada que é a vida. Aos poucos, o foco de fazer a diferença no mundo foi perdendo a força e se transformou apenas em uma tentativa de evitar a fome. É muito fácil adotar essa mentalidade.

A preguiça (ou falta de visão) aos poucos pode tomar conta de todas as áreas da nossa vida e gerar complacência. Sem visão, podemos acabar nos conformando com um prato quente de comida ao final do dia, em vez de cultivar o campo que mais tarde produzirá uma colheita abundante. O sucesso aos poucos se reduzirá a uma barriga cheia e uma cama quentinha à noite. Por não ter cultivado nenhuma semente, você não terá colheita no futuro, pois cada semente reservada para preservar a sua vida foi devorada no momento de dificuldade.

A MOTIVAÇÃO DO AGRICULTOR PARA SEMEAR COM LÁGRIMAS DE ALEGRIA ERA O FATO DE QUE, ENQUANTO PLANTAVA A SEMENTE, TINHA EM MENTE A FOME DA FAMÍLIA, MAS TAMBÉM A GRANDE COLHEITA QUE VIRIA ROMPER O CICLO DE POBREZA.

Para romper esse ciclo, precisamos entender o seguinte princípio: *Sempre é necessário sacrificar algo no presente para construir um futuro.*

Segundo passo: Hoje é o dia!

Benjamin Franklin disse: "Nunca deixe para amanhã o que pode ser feito hoje". O dia é hoje. Nunca existirá outro hoje, e cada dia é uma dádiva de Deus que jamais será repetido.

Algo benéfico acontece quando somos diligentes com o nosso tempo e com as tarefas que nos são dadas. Quando conseguimos terminar o que precisava ser terminado hoje, já garantimos o sucesso de várias maneiras. A primeira é que isso produz um *momentum* na sua vida. *Momentum* é a força motriz que faz que o médio pareça excepcional, e o comum, profundo. Presencio esse efeito o tempo todo no ambiente em que vivo. Uma pessoa sem *momentum* compartilha uma revelação no palco, e algumas pessoas são impactadas. Por sua vez, uma pessoa com *momentum* compartilha a mesma revelação, e o efeito sobre a multidão é dramaticamente maior. Por quê? Porque *momentum* é igual a bênção!

Existe, porém, um efeito contrário para a pessoa que não realiza as tarefas que lhe são dadas. Ainda que realize a tarefa um dia depois, sabe que deveria ter acabado um dia antes. Por isso, em vez de gerar *momentum* e se sentir bem-sucedida ao concluir a tarefa, o atraso cria a necessidade de correr para recuperar o tempo perdido, em vez de gerar o pensamento de que se está em dia e no controle. O estilo de vida de correr atrás do atraso gera um senso de desespero e baixa autoestima.

Outra forma pela qual esse princípio provoca sucesso é chamado de plantar e colher! No livro de Mateus, Jesus conta a história de um senhor que estava saindo de viagem. Antes de viajar, ele confiou sua propriedade às mãos dos servos. Um servo recebeu cinco talentos (dinheiro); o segundo, dois talentos; e o terceiro, um talento; cada um segundo suas respectivas habilidades. Depois de algum tempo, o senhor voltou e pediu para cada servo prestar contas do investimento. Os dois primeiros explicaram que aplicaram o dinheiro e dobraram a quantidade para o senhor, mas o último não fez um trabalho tão bom com o que lhe fora dado. Na verdade, disse ao senhor que havia enterrado o valor em um buraco, pois temia que algo desse errado e sabia que o senhor era severo e exigente.

Resumindo a história, o senhor condenou o último servo e o chamou de iníquo e preguiçoso. A seguir, pegou aquele talento e o deu para o servo que havia investido e aumentado o que havia recebido. No entanto, a parte mais poderosa dessa parábola é quando Jesus diz no final: "Pois a quem tem, mais será dado, e terá em grande quantidade. Mas a quem não tem, até o que tem lhe será tirado" (Mateus 25.29). Em um primeiro momento, essas últimas palavras parecem um pouco duras, mas o que Jesus está dizendo é que há uma bênção para cada pessoa que é boa administradora da tarefa que lhe foi confiada, seja ela pequena ou grande.

Não importa em qual estágio você se encontra agora, tem a oportunidade de pegar o que lhe foi dado e fazê-lo crescer.

Na verdade, acredito que o maior desafio das pessoas não é a preguiça ou a falta de visão, mas o fato de desconhecerem qual é o passo seguinte. O primeiro passo a tomar hoje é fazer uma pausa e perguntar o que impede você de alcançar a completude. O que impede você de agir no plano original de Deus para a sua vida?

Há pouco tempo, participei de um treinamento sobre a importância de gerenciar bem o tempo. Fiquei tão empolgado com essa palestra quanto os esquimós ficam "empolgados" com o aquecimento global. Precisei aprender a amar a minha agenda. Nem preciso dizer que pôr tudo aquilo em prática tem sido um processo longo e trabalhoso. Mas, naquela palestra, aprendemos sobre o benefício de priorizarmos a nossa vida e os nossos compromissos, em vez de deixarmos que a agenda nos imponha demandas sem importância.

> O PRIMEIRO PASSO A TOMAR HOJE É FAZER
> UMA PAUSA E PERGUNTAR O QUE IMPEDE VOCÊ
> DE ALCANÇAR A COMPLETUDE.

A maior parte do tempo, ficamos presos às necessidades que não nos beneficiam ou não têm nenhum efeito no nosso futuro. Por exemplo, já conversei com inúmeras pessoas que tem grandes problemas para estabelecer limites e nunca leram um livro nem ouviram um CD; jamais procuraram um conselheiro ou gastaram um único minuto tentando resolver o problema. Essas mesmas pessoas desperdiçam longas horas assistindo a determinado canal de televisão, lendo alguma revista esportiva, acompanhando cada episódio de um seriado ou capítulo da novela, como se o próprio Deus os tivesse inventado. Geralmente dedicamos muito pouco tempo àquilo que mais nos daria retorno. Portanto, uma pessoa comum não tem ideia de quanto ainda precisa mudar e crescer, porque dedica pouquíssimo tempo às suas necessidades reais.

Quando me tornei pai pela primeira vez, lembro-me de quanto me sentia limitado diante das exigências do meu filho de 2 anos. Ele sabia onde apertava o meu calo, calo esse que nem mesmo eu sabia existir. Por várias vezes, lembro-me de ter saído frustrado de algum acontecimento ou conversa, pois descobri que o meu filho conhecia melhor as minhas imperfeições que qualquer outro ser humano na face da terra! Não demorei muito para descobrir que o meu filho era um gênio e, de certa forma, fiquei sem saber o que fazer! Nas semanas seguintes a essa constatação, passei todas as noites, depois de colocar as crianças para dormir, estudando em casa um curso chamado *Love and Logic* [Amor e lógica] e fazendo anotações. Passei longas horas todos os dias trabalhando nos princípios paternos e, depois, pondo-os em prática já no dia seguinte.

A maioria dos pais, de um jeito ou de outro, já se sentiu assim. Mas o que descobri durante todos esses anos como conselheiro é que a maioria, mesmo depois de identificar o problema, não faz nada a respeito. A parábola de Mateus 25 trata desse mesmo tipo de problema. Deus deixou aos meus cuidados três crianças lindas, e a expectativa que o Senhor tem em relação a mim é que eu seja um bom mordomo de tudo o que me foi confiado. Quando cuido com diligência dos meus filhos, a minha herança aumenta. Para ser sincero, quando comecei a aprender a ser pai dos meus filhos, não fazia a menor ideia de qual era o meu papel, mas, por nunca desistir, procurei aprender a ser um bom mordomo daquilo que o Senhor me dera, e ele tem abençoado a minha diligência e entregado aos meus cuidados centenas de outras pessoas.

A mentalidade de agricultor diz que existe um único hoje, e aquilo que fazemos com esse dia resultará no amanhã. Se você se sente insatisfeito com o lugar onde se encontra hoje, está assim por causa do que fez com o seu dia de ontem. Receba cada dia como um presente, sem se importar se será um dia difícil e pesado, ou fácil e tranquilo. Se você semear com lágrimas hoje, colherá com alegria amanhã. Portanto, acorde, lave o rosto e viva bem hoje!

> SE VOCÊ SEMEAR COM LÁGRIMAS HOJE,
> COLHERÁ COM ALEGRIA AMANHÃ. PORTANTO, ACORDE,
> LAVE O ROSTO E VIVA BEM HOJE!

Terceiro passo: A alegria das provações!

Em Tiago 1.2-4, lemos: "Meus irmãos, considerem motivo de grande alegria o fato de passarem por diversas provações, pois vocês sabem que a prova da sua fé produz perseverança. E a perseverança deve ter ação completa, a fim de que vocês sejam maduros e íntegros, sem lhes faltar coisa alguma". Aqui está um dos maiores segredos da Bíblia sobre a alegria. À primeira vista, no entanto, esta parece ser a passagem mais ridícula!

Não sei como você reage, mas na última vez em que passei por uma grande provação, a minha primeira reação não foi ficar feliz e empolgado. Eu também não pensei nada do tipo: *Ah, essa provação testará minha fé e nunca mais me faltará nada.* A minha primeira reação, porém, foi tentar descobrir como cheguei a uma situação daquela para, depois, poder cair fora o mais rápido possível!

O processo de Deus para gerar a perfeição em nós é realizado por meio das provas que aumentam e fortalecem a nossa fé. O único modo de nos alegrarmos quando passamos por provações é crer de fato que Deus tudo permite, até situações difíceis, para cooperar para o nosso bem (leia Romanos 8.28). Sei que isso não parece divertido, mas é verdadeiro.

Nos momentos difíceis, há sempre uma grande oportunidade para aqueles que conseguem enxergá-la. Ponha a mentalidade de agricultor para funcionar e mãos à obra. O agricultor, em qualquer circunstância, sempre abraça o entusiasmo. Não são as bolhas nas mãos que o deixam feliz, mas aquilo que a dor produz.

Já ouvi muitas vezes que "as adversidades são as pedras que pavimentam o caminho para o sucesso". A perseverança de trabalhar na terra endurecida fortalece o agricultor. Essa força o estimulará pela vida toda, pois é a força que ele usará nos anos por vir. A sabedoria que ele adquiriu na labuta será transferida a toda a sua descendência. A fé será a fé da sua descendência em dias difíceis; os filhos usarão seu testemunho para produzir a colheita e nunca terão falta de nada.

Lições extraídas da vida de Davi

Amo a história de Davi. Ele era especialista em passar por tempos difíceis e se recusar a fugir deles até que Deus o ajudasse. Davi sempre fazia da adversidade um aríete a fim de abrir o caminho para o seu destino.

As primeiras vitórias de Davi sobre um leão e um urso foram estratégicas para a vitória que ele obteve sobre Golias, e esta, por sua vez, o alçou ao palácio real para ministrar a Saul. Não demorou muito para que a ministração de Davi ao rei terminasse de forma repentina. Tomado de ódio, Saul expulsou Davi de seu reino e o obrigou a viver como um andarilho, escondendo-se por montes e cavernas enquanto desejava matá-lo. Esse foi sem dúvida o momento estratégico mais importante na vida de Davi em direção a seu destino, pois, enquanto Davi estava vulnerável, centenas de rejeitados se juntaram a ele.

Durante todo aquele período, Davi se recusou várias vezes a matar Saul e tomar posse do reino. Davi entendia que agir antes do tempo de Deus seria como dar à luz um bebê de 3 meses só por estar cansado da gravidez. Todo processo nos traz maturidade.

Davi, por fim, tornou-se um dos maiores reis da História, e os rejeitados que se escondiam com ele se tornaram seus grandes guerreiros e defensores pelo resto da vida (leia a história em 1Samuel 17—31).

O Senhor usa as adversidades para cumprir seu propósito na nossa vida. Ele nem sempre nos livra dos ventos contrários, pois sua primeira preocupação não é o nosso conforto. Deus quer que sejamos como ele, perfeitos, sem sentir falta de nada. Assim como o agricultor, se pularmos a etapa de afofar a terra endurecida e de cultivar o solo, a semente que plantamos não criará raiz, mas secará sob o sol escaldante.

Pressuponho que, por você estar lendo este livro hoje, a adversidade está à sua porta, bisbilhotando pela janela. Trago boas notícias — Deus está abrindo caminho para que você seja completo e não sinta falta de nada. Nesse ínterim, seu trabalho é segurar-se com firmeza na esperança, sem jamais largá-la! Como o agricultor que labuta para produzir a safra, também está por vir o regozijo dos que se apegam à esperança da colheita.

Não perca as esperanças

O autor de Hebreus diz: "Ora, a fé é a certeza daquilo que esperamos e a prova das coisas que não vemos" (Hebreus 11.1). Se agirmos apenas de acordo com o que vemos, nunca poderemos deixar uma herança para o futuro. Sem esperança, sem capacidade de crer e sem confiança em Deus é impossível tocar o céu. Aquilo que você crê em seu coração e aquilo pelo que espera, mais cedo ou mais tarde, acontecerá no mundo natural. Se você ainda está preso a uma mentalidade empobrecida e se cansou do carrossel da decepção, então é hora de mudar as suas expectativas! O rei Salomão escreveu: "Porque, como imaginou na sua alma, assim é" (Provérbios 23.7, *Almeida Revista e Atualizada*).

O resultado dos tempos difíceis será aquilo que impulsionará você para o seu destino. A colheita que produzir na adversidade trará a você o fruto que o sustentará anos mais tarde. Na verdade, o que foi semeado com sacrifício durante a juventude será repassado para várias gerações.

SE VOCÊ AINDA ESTÁ PRESO A UMA MENTALIDADE EMPOBRECIDA E SE CANSOU DO CARROSSEL DA DECEPÇÃO, É HORA DE MUDAR AS SUAS EXPECTATIVAS!

Na próxima vez em que você estiver atravessando um momento difícil na vida, deixe que o arado da perseverança prepare o solo da prosperidade.

Capítulo 6

Libertando o homem interior

No capítulo 5, contei a história do agricultor e do preguiçoso (um homem sem visão) para ilustrar como a nossa atitude em tempos difíceis provoca resultados no futuro. Mencionei também a parábola dos talentos (sermos bons mordomos daquilo que recebemos). As parábolas são ferramentas poderosas para extrairmos excelentes lições de vida.

Inicio o tópico seguinte com uma parábola moderna sobre um coração que está desvinculado de suas circunstâncias. Essa alegoria descreve muitos homens e mulheres que passaram a vida toda ignorando as emoções.

O coração congelado

Caminhe comigo por um corredor longo e estreito, um lugar onde a vida foi esquecida. As paredes de gelo endurecidas não podem sentir nem respirar, pois foram lacradas e impedidas de receber a luz do dia. Ao andar pelo corredor, você observará o trabalho realizado por várias mãos. Nas entranhas das paredes de gelo, estão esculpidas as cicatrizes de uma história muito antiga. Murais de cima a baixo relatam histórias de constantes maus-tratos e perversidades que infestaram aquele lugar.

Enquanto continua a caminhada pelo corredor frio e congelado, você se depara com barras de ferro e é impedido de seguir adiante.

Espalham-se pelo chão milhares de palavras de promessa e de amor, sem valor algum, despedaçadas, ao passo que as palavras de ódio e rancor se agarram à porta tentando entrar. Ao espiar pelas grades, você vê um coração frio e aos pedaços por causa de promessas vazias de um amor fraudulento. Ao reparar no coração sangrando, você começa a implorar para entrar. Em voz alta, já perdendo o fôlego, clama por piedade, mas as suas palavras apenas ecoam entre as densas muralhas de gelo. Ninguém se importa, ninguém ouve seu clamor. Em pouco tempo sua súplica se transforma em tormento, enquanto em desespero você tenta encontrar as chaves para abrir aquelas grades, pois muito em breve aquele coração ficará congelado para sempre, incapaz de sentir alguma coisa de novo.

Ao desentulhar as palavras estilhaçadas, os seus dedos começam a sangrar. Mas isso não tem importância, pois em algum lugar dos escombros deve existir uma chave, um jeito de entrar ali. Cavando cada vez mais fundo, os seus dedos ensanguentados tocam o chão de concreto, mas ainda assim você não encontra a saída. Em meio à frustração, pergunta em voz alta ao coração: "Quem o colocou aqui? Quem o deixaria aqui para apodrecer nesse túmulo tão gélido?". As suas palavras ultrapassam as grades e enchem o coração enrijecido naquele profundíssimo *iceberg*.

O coração reage com um gemido alto, pois vive preso ao tormento do amor que se foi. Aos poucos, as grades da prisão se tornam mais fortes, e a temperatura cai ainda mais no corredor. De pronto, você percebe que foi o coração mesmo que construiu aquela prisão. Ele não permite mais que as barras de aço da prisão sejam abertas, não pode mais se arriscar a sofrer abusos do amor ou o tormento de uma esperança adiada.

O tempo está acabando. O frio do corredor está insuportável, e em breve o seu coração também ficará entorpecido e paralisado.

É preciso tomar uma decisão entre ficar e correr o risco de morrer ou deixar morrer o que um dia foi tão cheio de vida e amor. A morte é a face escura do mal roubando o que nunca teve o direito de roubar.

Você respira fundo e pensa na sua família, na mulher da sua mocidade, nos filhos tão cheios de amor que dependem do seu amor paterno. Tenta por várias vezes respirar fundo, mas a respiração se torna ofegante e lenta e, quando você se dá conta, não sente mais nada nem pela esposa nem pelos filhos. Horrorizado, passa a mão no peito e não encontra o seu coração. Em pânico, volta-se às pressas para o corredor onde está o mural congelado, e as memórias ficam expostas. Olhando de baixo para cima e de cima para baixo, começa a examinar cada imagem e suas complexidades. E depara com a sua figura agarrada ao pai em busca de elogios, pois você nunca foi bom o bastante. Você era o filho que o seu pai nunca desejou. E, na falta de amor, o seu pai proferiu palavras que esmagaram seu espírito. A falta de afeto paterno foi o açoite que puniu o seu coração por desejar apenas um pouco de consolo.

Olhando por trás das paredes de gelo, você começa a perceber que a sua vida está repleta de memórias terríveis, uma prova do que acontece com um coração desprotegido e aberto aos sentimentos. Lentamente, em algum momento, a vida começa a voltar à rotina. Afinal de contas, não é preciso sentir para viver, principalmente quando esse sentimento é pior que a morte. Você sente vontade de chorar, porém não há mais lágrimas; você está tomado pela frieza, preso dentro de si mesmo na fortaleza que construiu.

Correndo de volta para o coração, você começa a esmurrar as grades, implorando para que o deixem entrar.

— Será que não percebe que vamos morrer aqui? — você grita.

O coração reage com um gemido, mas não tem nem vontade de se mover. De joelhos, você começa a suplicar e a recitar lembranças da infância.

— Eu estava ali quando o amor foi menosprezado, quando tudo aquilo de que precisava era um toque paterno. Eu estava ali quando a perversidade foi o conforto para o espírito abatido, pois não havia outra opção. Presenciei a dor de aos poucos se fechar, sabendo que perderia todas as possibilidades de algum dia ter um relacionamento de novo. Posso sentir o ódio que você tem de mim, pois fui incapaz de o proteger e evitar que acreditasse em mentiras enganosas.

LENTAMENTE, EM ALGUM MOMENTO, A VIDA COMEÇA A VOLTAR À ROTINA. AFINAL DE CONTAS, NÃO É PRECISO SENTIR PARA VIVER, PRINCIPALMENTE QUANDO ESSE SENTIMENTO É PIOR QUE A MORTE.

Pela primeira vez em muito tempo, o coração começa a chorar quando percebe que existe alguém que se importa, alguém que sabe o que ele passou. Pois, apesar de o coração viver dentro de você, é como se fosse dono de si próprio e precisasse ser explorado e compreendido. As lágrimas escorrem, o gelo começa a derreter e o coração começa a ter sentimentos de novo. Esta foi a primeira vez que o coração se sentiu protegido o bastante a ponto de querer destrancar a jaula de aço, e os ferrolhos começam a cair devagar, um a um, ao ouvir as novas promessas.

— Prometo que amarei você muito mais que qualquer um. Prometo que sempre encontrarei uma maneira de o proteger. Prometo que nunca mais terei medo dos sentimentos, mesmo que sejam de dor, e prometo nunca mais me desligar de você, nunca mais o deixar sozinho para se defender!

Ao sair do corredor naquele dia, a única mudança que aconteceu no seu íntimo foi a decisão de ser corajoso e não se esconder mais.

Muitos de nós passamos a vida inteira sem perceber do que nosso coração realmente precisa ou sem notar a punição que a vida nos reserva. Sem a capacidade de nos conectarmos ao nosso coração, não temos como satisfazer as nossas mais profundas necessidades. Essa situação nos leva ao desespero por encontrar uma maneira de suportar os ataques violentos da vida, pois uma necessidade não atendida provoca dor!

> MUITOS DE NÓS PASSAMOS A VIDA INTEIRA SEM PERCEBER DO QUE NOSSO CORAÇÃO REALMENTE PRECISA OU SEM NOTAR A PUNIÇÃO QUE A VIDA NOS RESERVA.

As muralhas de proteção

Ninguém começa a vida com a intenção de se trancar em uma prisão de gelo, afinal quem deseja ser uma pessoa sozinha e desconhecida? O processo de se fechar é a última tentativa do corpo para sobreviver ao que parece uma lesão traumática aguda. Quando o trauma se recusa a diminuir, a mente precisa escolher entre enlouquecer por inteiro ou desligar-se do lado emocional da realidade.

Alguns anos atrás, apresentaram-me um rapaz chamado Blake, alguém que, naquela época, era o meu único conhecido que vivia entre os "mortos-vivos". Antes que eu descobrisse alguma informação sobre ele, Blake me perguntou se eu poderia ajudá-lo a entender algumas coisas. Enquanto eu o ouvia, os meus olhos se abriram, e pude enxergar um mundo que nunca tinha visto.

As lembranças de infância de Blake estavam marcadas por maus-tratos, a maior parte deles causada pelas pessoas que mais deveriam amá-lo. Blake me contou que, aos 5 anos de idade, já tinha decidido não ter mais sentimentos. Passou a acreditar que as únicas pessoas que não se magoavam eram as que já estavam no céu ou as que não tinham sentimento!

Blake "viveu" durante catorze anos fechado emocionalmente e indiferente ao que seu coração sentia. Contou que, se alguém o espancasse na rua, ele não reagia nem tentava proteger-se. Explicou que as pessoas que se protegem possuem algo de valor e, se alguém tem algo de valor, tem algo a perder e, portanto, pode sentir dor! Blake havia aprisionado todo o seu coração e todos os seus sentimentos dentro da jaula de aço coberta de gelo. Nenhuma palavra ou sentimento podia entrar ali, e ele nada sentia, desde que ficasse ali com as grades devidamente erguidas. Blake vivia entre os mortos-vivos, seguindo adiante sem se permitir nenhum sentimento e sem se importar com nada na vida.

Passei muitas semanas com Blake quebrando as densas muralhas de gelo e arrancando as grades que ele havia construído a vida toda. Assim como a parábola deste capítulo, Blake aos poucos conseguiu encontrar um lugar onde o seu coração pudesse voltar a ter sentimentos. O que aprendi é que não existe ninguém que já tenha ido longe demais, e Blake não era exceção.

Existe um grande número de pessoas na nossa sociedade que, de alguma forma, decidiu se fechar emocionalmente. Na verdade, descobri que a maioria que resolve se fechar não viveu necessariamente em um lar desequilibrado ou aguentou palavras ofensivas, mas, por não saber como lidar com a dor, trancou algumas partes do coração para poder sobreviver.

Um coração superprotegido

Estive conversando com uma amiga, que está na casa dos 30 anos, sobre relacionamento a dois. Só para você saber, essa amiga é uma excelente pessoa, lindíssima e solteira. Durante um ano todo, eu e outros amigos tentamos de todo jeito encontrar um companheiro para ela, mas nada funcionava. A minha amiga tinha uma visão idealista de como um relacionamento romântico devia acontecer e não estava disposta a abrir mão daquela ideia utópica.

Ela achava que um relacionamento só daria certo se fosse escrito pelo próprio Walt Disney. Bom, com o passar do tempo, ela começou a ter uma revelação. Consolada por vários amigos, percebeu que na realidade estava boicotando seus relacionamentos. Ela havia criado de propósito uma lista de qualidades impossíveis que gostaria de encontrar em um marido a fim de se proteger do risco de gostar de alguém *de novo*.

É evidente que os relacionamentos do passado haviam lhe ensinado algumas lições que ela não gostaria de repetir, mas, por não saber como proteger seu coração ou como enfrentar a dor do fim de um relacionamento, seu coração reagiu da única forma que conhecia: mantendo o amor do lado de fora.

A causa mais comum que leva as pessoas a se fecharem é o ambiente em que viveram na infância. É durante esse período que estamos mais vulneráveis e mais abertos que nunca a tudo o que nos rodeia. E mais: nessa época da vida, somos menos capazes de mudar as circunstâncias e por isso nos tornamos vítimas das disfunções de nossos pais. Assim, as crianças aprendem que se devem esconder do amor e da vulnerabilidade a qualquer custo.

A parábola que abriu este capítulo é um grande exemplo do que acontece quando alguém se lembra da infância e percebe que nunca foi amado ou cuidado de verdade. A pessoa começa a entender por que precisou se trancar dentro de uma jaula de aço. E, pelo fato de, na maioria das vezes, os traumas terem sido provocados na infância, é bastante comum que ela nem perceba o que realmente aconteceu, tampouco como o seu coração se fechou para que ela pudesse sobreviver em um ambiente tão frio.

A disfunção se desenvolve em um mundo no qual as necessidades não são supridas e a dor se torna um ingrediente comum da dieta diária. Se o amor é oferecido e recebido de modo condicional — eu amo você desde que faça e diga tudo certo —, comportamentos de codependência e controle se tornam a regra. Essas questões comportamentais se manifestam de várias formas, da manipulação à passividade. Apesar de essas pessoas viverem como se não tivessem necessidades, tornam-se especialistas em suprir as necessidades de todos. Exteriormente, até são parecidas com Jesus: andam por aí e garantem que todos estejam bem, mas na realidade aprenderam que ter necessidades e desejar algo em um relacionamento só traz sofrimento, como aprenderam na infância. Portanto, não ter nenhuma necessidade pode até ser eficaz, mas, na verdade, é uma forma disfuncional de se proteger contra a dor.

A beleza da emoção

As pessoas podem se proteger dos sentimentos de várias maneiras e trilhar vários caminhos para compensar a dor. Todavia, o mais importante é perceber que foi Deus quem nos projetou com sentimentos. Deus nos criou como a obra-prima das emoções. De forma pura e simples, as nossas emoções são estímulos. Sem elas, não conseguiríamos alcançar as nossas realizações. As emoções são sentidas no corpo e nos levam a agir. Quando as emoções são estimuladas, os músculos relaxam ou enrijecem, e os vasos sanguíneos se dilatam ou se contraem, dependendo do sentimento que move o nosso corpo. Portanto, as emoções são as maiores responsáveis por aquilo que motiva ou desmotiva as nossas ações.

Em outra esfera, as emoções nos orientam quando precisamos tomar decisões. Por exemplo, quando pensamos que algo vai contra os nossos valores, as emoções nos alertam, indicando que aquilo talvez não seja uma boa ideia. Só o fato de imaginarmos uma situação em que as nossas emoções podem ser estimuladas já serve de indício se tal pensamento é bom ou ruim.

Sem a capacidade de sentir as emoções, não somos capazes de nos vincular ao mundo à nossa volta. As emoções criam vínculos profundos entre nós e as pessoas do nosso convívio. Não me lembro de quantas vezes já conversei com jovens que têm o coração ferido, pois nunca ouviram da boca dos pais palavras de amor como um simples "Amo você". Mesmo depois de adultos, a dor de viver a vida toda sem nunca ter os pais emocionalmente próximos é terrível e devastadora. Por outro lado, as melhores lembranças que temos dos amigos ou da família são aquelas em que estávamos emocionalmente ligados a eles. Na esfera mais basal, fomos criados para estarmos conectados com o mundo à nossa volta, coração com coração.

É importante nos lembrarmos de que Deus criou as emoções positivas e negativas, e cada uma delas tem grande importância na nossa vida. As emoções negativas ajudam a nos mantermos vivos. Elas sinalizam o perigo e nos preparam para a ação, fugindo e evitando as pessoas ou até mesmo lutando. As emoções positivas são muitíssimo importantes, pois geram reações incríveis, como a de estimular o sistema imunológico, promover a autoestima e evitar a depressão. Existem muitos livros disponíveis que tratam exclusivamente dessas questões.

> NA ESFERA MAIS BASAL, FOMOS CRIADOS
> PARA ESTARMOS CONECTADOS COM O MUNDO
> À NOSSA VOLTA, CORAÇÃO COM CORAÇÃO.

Um ponto básico que precisamos entender é que a intenção inicial de Deus sempre foi que estivéssemos vinculados ao nosso coração.

Olá, "eu"

Quando foi a última vez que você parou e se perguntou: *Como vai o meu coração hoje? Do que precisamos para ficarmos bem? Por que estou sentindo as coisas dessa maneira? O que posso fazer a respeito?* A mente e o coração são os dois melhores defensores da vida saudável. Sem saber o que está acontecendo no nosso íntimo e do que a nossa alma necessita, não há nenhuma maneira de tomarmos conta de nós mesmos por completo.

Muitos de nós nunca fomos ensinados a ouvir a mente e o coração. Na realidade, muito de nós aprendemos mentiras do tipo: "A dor é a fraqueza deixando o corpo" ou "O que não mata, fortalece". A verdade é que a dor é uma necessidade suplicando para ser atendida. Quanto mais tempo a pessoa vive na dor, mais provável é que seu coração se feche. Veja, muitos de nós não sabemos quem somos porque não paramos o suficiente para dizer *Oi* a nós mesmos ou nos perguntarmos: *Em que posso ajudar?* Se não sabemos quem somos ou como estamos, como podemos compartilhar a nós mesmos com os outros?

É tentador evitar fazer perguntas do tipo *Como estou?*, pois muitas vezes elas nos dão a sensação de impotência se não soubermos o que fazer com o que estamos sentindo. No capítulo seguinte, você descobrirá a verdade sobre a dor e como superá-la de modo saudável. Você não precisará mais viver entorpecido pelos acontecimentos à sua volta nem viver desvinculado do seu coração. Aprenderá a destrancar o homem interior e a quebrar os votos prejudiciais que o mantiveram prisioneiro dentro de si mesmo.

Capítulo 7

No conforto da própria dor

Sente um pouco comigo, tire os sapatos, feche os olhos e relaxe. Bem-vindo à realidade nua e crua, um lugar desconfortável e doloroso para a maioria de nós. Prometo que não vamos demorar muito tempo, pois também já estive aqui. No capítulo anterior, falamos sobre o eu interior e todas as maneiras pelas quais ele tentou proteger você dos golpes violentos de uma realidade dolorosa. Neste capítulo, você descobrirá que a realidade é o único lugar seguro onde estarmos.

Em todas as histórias do capítulo anterior, existe um denominador comum, um tema comum. Nenhuma das pessoas citadas viveu um processo agradável ao trabalhar com a dor. Se você parar para pensar, qual foi a última vez que alguém o ensinou a enfrentar a dor? Se você é como a maioria das pessoas, a resposta mais provável será "nunca". Então, a minha próxima pergunta é: "O que você fez com sua dor?". Pare de ler por um instante e faça essa pergunta a si mesmo. É bastante provável que a resposta traga *insights* significativos para descobrir por que você é do jeito que é.

Enterrado vivo

Lembro-me de um aconselhamento específico no qual trabalhei com um rapaz que havia acabado de voltar do Iraque. Joe trabalhou como enfermeiro no Exército e todos os dias ficava exposto a horríveis cenas de morte. Ele buscou aconselhamento porque não conseguia mais ter sentimentos; estava entorpecido pelo mundo ao redor. Sentado à minha frente, pedi que ele fechasse os olhos e perguntei:

— Onde você guardou as suas emoções?

Ele permaneceu ali por algum tempo antes de abrir os olhos e descrever uma cena devastadora. Aqui está o relato com as palavras do próprio Joe:

Eu preciso cavar mais rápido! Falei comigo mesmo como se não houvesse mais ninguém no campo para me ouvir. A terra é muito fria e dura para cavar, mas já consegui alguma coisa. O buraco tem uns 3,5 metros de profundidade e vou conseguir cavar até o finalzinho, sob a luz tímida da lua. Posso ouvir os homens em algum lugar distante, gritando e forçando o caminho entre os arbustos, mas ainda tenho tempo.

Estou coberto de sangue dos pés à cabeça, pisando na lama congelada. Gritei olhando para a lua, quase uivando: "Preciso enterrar esta coisa antes que me peguem!". A terra e as pedras acabaram com as minhas unhas, e as minhas mãos sangram e queimam como fogo. Posso ouvir os cavalos se aproximando; os cães de caça os estão guiando diretamente para mim! Só mais alguns segundos, e consigo empurrar esta carne para dentro do buraco, e ninguém jamais vai saber o que fiz com isso.

Agacho bem acima do buraco e olho ao redor, como um animal fugindo da caça. Posso ouvir os caçadores agora. Os gritos estão bem próximos, e consigo ver as luzes das lanternas iluminando o chão à minha volta. Quase terminando minha tarefa, nem dou muita atenção para eles, só uma olhada de relance. Pensei por um momento nos meus pés descalços, nas pegadas que estou deixando, pois elas são um convite simpático para qualquer um abrir aquele buraco e descobrir o que eu, com tanta pressa, enterrei aqui; mas não, eu não tinha tempo.

Espremi aquilo no buraco, joguei sobre ele a terra solta e as pedras que eu tinha acabado de desencavar, e daí a luz de uma lanterna me pegou. Um homem grita para os colegas: "Ele está aqui, achamos o camarada!". Saio em disparada na noite escura, voando como um pássaro a cortar o céu. Está enterrado. Espero que se esqueçam do que coloquei ali. Queria que eles estivessem bem longe de mim. Corro aos pulos, irrequieto. Arrasto o meu corpo manchado de sangue pelos troncos caídos, rastejo pelo riacho, e a água fria abrasante queima por alguns segundos. Não posso preocupar-me com aquilo agora. Os meus pés descalços batem no chão duro, e me arrepio até os ossos. Pés rasgados, aos pedaços, e um grito de agonia a cada passo, mas não posso parar de correr. Consigo alcançar uma trilha que leva para o vale mais abaixo, e as fazendas parecem bem mais distantes à luz da lua. O meu desespero e a minha saída repentina confundiram a companhia. Levará alguns minutos até que eles se reagrupem. Assim, fico mais tranquilo.

Passo por uma moita de carvalhos debaixo da trilha. Já no vale, procuro por fazendas. Começo a me esgueirar pelos milharais, que são excelentes esconderijos, e não será tão fácil me encontrarem. A terra aqui é fofa, e é difícil escapar e correr. E agora sei que estou perdido. Estou correndo o mais rápido possível para o outro lado dos milharais, onde encontro uma casa abandonada. Posso descansar um pouco ali, enquanto procuram por mim pelos campos. Empurro a porta e a fecho com um solavanco. Corro para a janela que dá de frente para os milharais de onde eu tinha acabado de sair e abro uma fresta para ouvir quando os homens estiverem se aproximando. Deito-me ali, caindo pesado no chão, e encosto a cabeça no parapeito da janela por alguns instantes. Não sei por quanto tempo permaneci ali, porque acabei cochilando.

Acordo com um estranho brilho alaranjado e um estalo. Atordoado pelo sono, tenho dificuldade para entender o que está acontecendo. De repente, como um relâmpago, vem-me à mente que eles poderiam ter ateado fogo no campo para acabar comigo. A fumaça já invadia toda a casa, e, sufocado, saio correndo da sala de estar para a sala de jantar; arrebento a porta de trás e corro para o celeiro. Não consigo ouvir muita coisa além do rugido do fogo. Consigo chegar ao celeiro em questão de segundos. Faço uma curva, tentando sair do celeiro e chegar ao outro campo, logo à frente. Nem percebo o homem ou o cabo do machado que acertou em cheio a minha cabeça.

Desperto e noto uma dúzia de homens à minha volta; olho para eles com terror. Você se lembra daquilo que enterrei? A carne que coloquei por baixo da terra não era a carne de outro homem, era a minha! Arranquei o meu próprio coração; eu não podia mais aguentar o peso da dor que me causava. O amor que perdi, tudo o que já fiz e vi. Precisava me livrar dele. E me livrei. Os soldados da companhia me assombraram porque achavam que eu tinha matado alguém. A única coisa que matei foi minha capacidade de ter sentimentos, e matei para sempre. Fiquei em pé na frente deles, coberto de sangue e congelado. Um homem gordo e careca se aproxima de mim e fala com a voz frágil:

— Filho, o que você fez? Como pode estar vivo ainda?

Dei uma risadinha entre os dentes, com ar de zombaria, e respondi com um tom de voz que arrancaria a pele de alguém vivo:

— Não sobrou nada para mim naquele pedaço de carne cansada. Isso é tudo que restou de uma vida da qual só quero me esquecer.

O homem deu uns passos para trás sem saber direito como reagir. E ataquei de novo:

— Como eu ainda estou vivo? Como você pode me perguntar isso? É por causa da minha grande vontade de viver livre dessa dor.

Agora, chegam os repórteres tirando fotos com suas máquinas equipadas e fazendo anotações no bloco branco de papel com caneta azul. Posso até imaginar a minha foto no jornal da manhã. Muitos homens à minha volta, com ar de triunfo. Estou coberto de sangue, todo enlameado. Do meu lado esquerdo, logo abaixo do meu mamilo, há um corte profundo do tamanho ideal para arrancar, ainda que com bastante dificuldade, o meu coração. É possível ver o vapor saindo pelo corte, sinal de um corpo ainda quente. Estou vestido com farrapos e descalço. O meu rosto está imundo, e as algemas balançam nos meus pulsos e tornozelos. Que espetáculo devo ser! Eles sentem medo do meu estado. Sou como um animal raivoso que precisa ser destruído. Não tenho mais nenhum sentimento agora. Apenas imaginar um homem naquele estado é algo que os atemoriza. Não será fácil para eles me matarem. E eu também não vou facilitar.

Joe havia enterrado suas emoções em algum buraco bem distante, que nunca mais deveria ser visto. A brutalidade da guerra foi muito além do que ele poderia suportar sozinho. E, mais uma vez, sem a capacidade e a consciência para entender o que o coração estava sentindo, sua única opção lógica foi enterrá-lo.

Independentemente de as suas experiências serem iguais às de Joe ou ao meu divórcio destrutivo, você precisa ter um plano para sua dor. Um dos maiores equívocos que as pessoas cometem com relação à dor é que o tempo a cura. Elas acreditam que a dor, de alguma forma, desaparecerá — basta se esquecerem dela ou ignorarem o que estão sentindo ou o que aconteceu. Essa é uma grande mentira! Se o tempo curasse, as pessoas nos presídios seriam as mais perfeitas do mundo.

O tempo revela e capacita. Se plantarmos uma semente na terra e a regarmos, com o tempo sua espécie aparecerá. Se plantarmos a mesma semente e nunca a regarmos, a semente nunca crescerá. Do mesmo modo, se passarmos pelo processo da cura, com o tempo seremos completamente curados, mas, se fugirmos do processo da cura, não entenderemos por que estamos do jeito que estamos.

> O TEMPO REVELA E CAPACITA. SE PLANTARMOS UMA SEMENTE NA TERRA E A REGARMOS, COM O TEMPO SUA ESPÉCIE APARECERÁ. SE PLANTARMOS A MESMA SEMENTE E NUNCA A REGARMOS, A SEMENTE NUNCA CRESCERÁ.

Bem-aventurados os que choram

O texto de Mateus 5.4 diz: "Bem-aventurados os que choram, pois serão consolados". Se o que este versículo diz é verdade, também poderíamos dizer: "Malditos os que não choram, porque eles não serão consolados". O verdadeiro processo para superar a dor e tornar-se uma pessoa íntegra requer o reconhecimento de sua existência para, em seguida, pranteá-la.

O desafio nesse tipo de raciocínio é que nenhum de nós tem prazer em pensar na própria dor emocional. Na maioria das vezes, a dor nos leva a nos sentirmos tão incrivelmente impotentes e desesperançados que o simples fato de pensar nela já a faz piorar.

Dessa forma, a resposta típica para a dor é ignorá-la. Mas não podemos alcançar o conforto sem enfrentar o pranto!

Prantear a dor não significa parar e pensar nela até ficarmos profundamente enraivecidos e atônitos (embora isso possa acontecer como parte do processo). A forma saudável de sofrer a nossa dor requer um processo com início e fim. Da mesma forma que acontece em um funeral, você tem consciência de que chegará lá e compartilhará, por meio de imagens e palavras afetuosas, a vida da pessoa que faleceu. Também sabe que provavelmente chorará pelo fato de que essa pessoa se foi. Contudo, se já teve a oportunidade de experimentar uma morte na família, há de concordar que, depois das lágrimas derramadas e das memórias processadas, a dor desaparece.

Desarmando a bomba-relógio em seu íntimo

No dia em que Heather me deixou, todas as lembranças e experiências que passamos juntos, coisas que normalmente me proporcionavam sentimentos agradáveis, transformaram-se instantaneamente em motivos de sofrimento. As lembranças do dia do meu casamento ou do nosso primeiro encontro não me traziam mais alegria. Não havia mais felicidade em pensar na nossa noite de núpcias e em como eu havia entregado a ela o meu coração. Eu estava só, aprisionado em uma mente cheia de lembranças, cada uma delas dilacerando até o fundo da minha alma. Por mais que eu quisesse simplesmente acordar e deixar tudo de lado, estava obstinado com todas aquelas recordações.

Rapidamente, percebi que as lembranças eram como uma bomba-relógio: se eu falhasse em perceber sua presença e deixasse de desarmá-la, ela explodiria no meu íntimo, produzindo uma dose incontrolável de rancor. Se me permitisse extravasá-la de forma nociva, isso machucaria aqueles que eu mais amava — os meus filhos.

Passei a mudar a forma de encarar a dor. Lembranças que normalmente me matavam por dentro passaram a ser bem-vindas e comecei a ponderar cuidadosamente e prantear cada uma delas, até que a dor da fisgada não fosse mais sentida. Essa é a prática de ser um bom mordomo! É isso mesmo! Precisamos administrar com cuidado cada pensamento doloroso, considerando cada um deles um presente oferecido pelo Senhor para transformar-nos em seres íntegros e curados. Fiquei animado quando consegui superar o medo de sentir dor e comecei a encarar as lembranças — uma a uma —, pois cada recordação processada representava um passo em direção à liberdade.

Lembro-me da primeira vez em que pensei no dia do meu casamento, depois que Heather me deixou. Eu estava no meio do louvor, no púlpito, durante a sessão da Escola Ministerial, simplesmente desfrutando da presença de Deus. Sem mais nem menos, dei-me conta de que os meus pensamentos estavam totalmente voltados para o dia do meu casamento. Lá estava ela, cavalgando em um cavalo marrom-chocolate conduzido pelo irmão. O meu coração quase explodiu dentro do peito ao observá-la caminhando bem devagar na minha direção ao som da trilha sonora do filme *Coração valente*. Ela se aproximou do altar, e lá estava eu para estender-lhe a mão.

FIQUEI ANIMADO QUANDO CONSEGUI SUPERAR O MEDO DE SENTIR DOR E COMECEI A ENCARAR AS LEMBRANÇAS — UMA A UMA —, POIS CADA RECORDAÇÃO PROCESSADA REPRESENTAVA UM PASSO EM DIREÇÃO À LIBERDADE.

Após a mensagem do pastor, participamos da ceia do Senhor e, logo depois, estávamos novamente no altar, trocando os nossos votos. Lá estava eu, entregando-lhe o meu coração que agora tão desesperadamente precisava tomar de volta. Ao lembrar-me de suas palavras, lágrimas rolaram pelo meu rosto e as lembranças continuaram. O louvor na Escola Ministerial como que explodia nos meus ouvidos, e a ideia de nunca mais tê-la de volta fez brotar lágrimas que rolavam pelo meu rosto.

Não demorou muito até que eu perdesse o controle e as minhas emoções se transformassem em um choro profundo. Rapidamente, percebi que o louvor acabaria em alguns minutos e eu deixaria uma poça de lágrimas lá em cima. Ao terminar o louvor, fui para o meu escritório pensando: *Não quero perder esta lembrança; quero processar tudo numa boa.* Entrei na minha sala e, sem delongas, coloquei algumas músicas tristes para tocar, dando liberdade para que as recordações viessem à tona tranquilamente.

Passei aquele dia no escritório e permiti que as lembranças do casamento vagassem livremente na minha mente, lamentando que a realidade de tudo aquilo havia ficado no passado. Lembro-me de ter processado inúmeras vezes a imagem dela caminhando pelo corredor e de ter perguntado a Deus o que ele queria que eu fizesse com aquelas recordações. Ao final, os detalhes de nosso casamento e a realidade de que aquilo fazia parte do passado já não me feriam da mesma forma que antes. Deus começou a responder às perguntas que as lembranças me traziam: *O que vai acontecer com as crianças?* e *Terei condições de amar alguém de novo?* Uma a uma, as lembranças voltaram, cada uma com uma ferroada diferente. E eu pranteei cada uma delas até que a dor passou e Deus respondeu aos meus questionamentos.

A dor não precisa permanecer

Ao processar a minha dor, percebi que sem a capacidade de me vincular, de sentir e extravasar o que estava no meu coração, eu jamais poderia ser livre. A maioria dos cristãos está tão condicionada a olhar só para o lado positivo dos acontecimentos que pode parecer errado focar a própria dor e lamentar as perdas.

Recentemente, recebi uma senhora para uma sessão de aconselhamento. Ela me contou que nunca chorava e tinha dificuldade de expressar suas necessidades para as outras pessoas. O mais intrigante é que aquela senhora se comportava como uma Mulher Maravilha diante dos outros, oferecendo apoio a todos os necessitados e fazendo-os se sentir amados e aceitos. Mas, quando se trata de expor a si mesma, ela sempre prefere ouvir os outros, em vez de compartilhar o que está enfrentando no momento.

Naquele dia, Megan se sentou diante de mim no meu escritório e começou a contar sua história. Seu pai havia falecido quando ela era muito jovem, deixando-a com uma enorme dor ainda muito nova. Por volta dos 18 anos, ela recebeu um telefonema informando que sua mãe havia morrido em um acidente de carro. Megan se viu sozinha e cheia de medo. O dia da morte de sua mãe havia começado com planos de um passeio conjunto, mas, ao final desse mesmo dia, Megan estava desamparada no mundo.

Logo depois da morte da mãe, os amigos e familiares se reuniram para o funeral. Palavras gentis foram ditas e belas canções, entoadas. Rapidamente tudo terminou e ficou para trás. Após o funeral, os amigos de Megan foram até sua casa e, juntos na sala de estar, tiveram um momento de louvor e adoração. Entendiam que ela precisava começar um novo capítulo na vida e planejaram por meio do louvor e da adoração ajudá-la a superar aquele terrível episódio.

Quanto mais eu ouvia Megan falar, mais percebia que ela nunca havia se permitido prantear a perda dos pais. E, porque nunca o fizera, jamais se libertou da dor. Seus amigos tinham as melhores intenções em querer que ela se libertasse da dor, sentisse alegria e recuperasse a capacidade de adorar. Mas não perceberam que, por não permitirem que ela lamentasse a perda e trabalhasse com a dor, Megan ficaria aprisionada ao passado.

Megan nunca havia se permitido consultar o próprio coração, pois acreditava que a dor nunca a deixaria. Assim, não faria sentido nem mesmo aproximar-se dele. Ela se tornou prisioneira de uma aparência que nunca expressava tristeza, apenas alegria. Na realidade, seu coração clamava por alguém que discernisse sua dor.

Permitir-nos ter apenas sentimentos de alegria é tão disfuncional quanto nos permitir ter apenas sentimentos de dor. Como vimos no capítulo anterior, Deus criou todas as emoções, e cada uma delas tem um propósito específico.

Megan e eu investimos bastante tempo do aconselhamento encarando o fato de que seus pais jamais voltariam. Tive de convencê-la a tomar algumas providências, como escrever cartas para a mãe contando como se sentiu no dia em que ela morreu e fazer um relato de como foi receber aquele telefonema. Megan começou a perceber que ela não estava sozinha em sua dor; Deus tinha respostas para o que ela estava vivenciando e para suas necessidades. Com o passar do tempo, ao processar a realidade da perda e se vincular a seu coração, ela teve condições de liberar as lágrimas e encarar a realidade que tanto a apavorava. Hoje Megan está liberta da dor de não saber quem é, bem como daquela sensação de sentir-se abandonada no mundo.

> PERMITIR-NOS TER APENAS SENTIMENTOS
> DE ALEGRIA É TÃO DISFUNCIONAL QUANTO NOS
> PERMITIR TER APENAS SENTIMENTOS DE DOR.

Purgando a dor

A realidade com frequência é acompanhada pelo ataque violento das emoções que estavam sufocadas. Como dissemos, os cristãos geralmente preferem ignorar o que estão sentindo porque, de alguma forma, encaram como pecado ter qualquer outro pensamento que não seja o de alegria.

Quando comecei a processar o fato de que Heather havia me deixado por outro homem, passei a experimentar uma miríade descomunal de emoções, desde raiva e ódio até pesar e mágoa. Essas emoções com frequência se manifestavam de formas distintas. O que me permiti fazer foi ser cruelmente honesto com relação ao que realmente sentia.

Se você se recorda do capítulo 4, "A justiça foi feita", sabe que o objetivo da minha vida era o bem-estar de Heather e sua integridade. Mas eu não podia negar a mim mesmo nem ignorar o fato de que me senti imensamente injustiçado e abusado. Passei meses compondo canções melancólicas e escrevendo cartas absolutamente francas sobre o que havia acontecido e como eu me sentia — cartas que jamais enviei a ela. Durante semanas, eu despertava de noite, por volta das 3 da madrugada, com uma poesia invadindo a minha mente. Desde que as minhas atitudes não magoassem mais ninguém, permiti-me gritar, berrar ou escrever cartas sobre o que ela havia feito e como aquilo era errado. (É claro que eu me certificava de que as crianças não me ouviriam.)

Ao ser honesto comigo mesmo sobre o que estava acontecendo no meu íntimo, na privacidade do meu lar, consegui purgar as emoções que sentia sem ferir outros à minha volta. Percebi que as pessoas que passam por aflições violentas, e nunca se permitem processá-las na segurança de seu lar, normalmente terminam explodindo na hora errada.

As emoções que eu expressava por meio de uma canção ou um poema não eram uma declaração de como eu gostaria de me sentir com respeito a Heather nem mesmo de como eu havia decidido viver para sempre. Ao contrário, apresentavam informações isoladas e rápidas de como eu me sentia naquele momento. Por ter investido bastante tempo sendo honesto comigo mesmo em cada circunstância e por ter desabafado tudo em voz alta, não sentia como se houvesse uma bomba dentro de mim prestes a explodir quando eu a encontrava pessoalmente.

> AO SER HONESTO COMIGO MESMO SOBRE O QUE ESTAVA ACONTECENDO NO MEU ÍNTIMO, NA PRIVACIDADE DO MEU LAR, CONSEGUI PURGAR AS EMOÇÕES QUE SENTIA SEM FERIR OUTROS À MINHA VOLTA.

Homens e mulheres de verdade choram

Vivemos em um mundo em que os nossos heróis são feitos de aço. Eles são inumes às leis naturais da humanidade e são capazes de sair ilesos ao enfrentarem as hordas do inferno com uma simples flecha flamejante. Esses heróis são bastante divulgados pela mídia e incorporados na nossa vida como alvos supremos na hierarquia social. As mulheres os veneram, e os homens são ensinados a exaltarem a frieza de coração como um distintivo de honra, buscando de alguma forma se assemelhar a eles. Esses homens não sentem dor, não temem mal algum e são capazes de abandonar uma mulher como quem apaga um cigarro.

Muitos pais, da mesma forma, têm obtido êxito em reforçar esse tipo de padrão que considera anormal ser vulnerável, e principalmente demonstrar emoções. Em muitos lares, é quase impossível que as crianças aprendam a serem transparentes sobre seus sentimentos, uma vez que não veem isso nos pais. E, na maioria das famílias, as emoções estão escondidas como pecados ocultos. Essa visão irreal da humanidade tem contribuído para a desumanização das nossas emoções.

Uma criança os guiará

Muito antes de você aprender que os heróis não sentem dor, e que os seus familiares escondem as emoções, Deus nos ensinou como devemos processar a dor. Se você já teve oportunidade de observar os seus filhos brincando, percebeu que basta esperar alguns minutos, e o choro começa a ecoar pela casa. Na minha família, tenho a impressão de que sempre um dos meus filhos mais velhos domina o mais novo. Não preciso nem estar no mesmo ambiente das crianças; basta ouvir um choro estridente para saber o que está acontecendo na sala ao lado. Normalmente, a minha presença se faz necessária para resolver a questão. O ponto interessante nessas interações não é o que acontece durante o conflito, mas o que vem depois.

O meu caçula, que consegue chorar a ponto de despertar toda a vizinhança, em questão de minutos retoma feliz a brincadeira com as outras crianças. Como isso acontece? Se fosse um grupo de adultos, a pessoa que se sentiu prejudicada ou de quem o outro tirou vantagem precisaria de alguns dias ou semanas para se recuperar. Mas as crianças têm uma capacidade intrínseca de processar a dor porque possuem o modo de agir correto. Ninguém as ensinou que é incorreto demonstrar as emoções; portanto, sem nem mesmo pensar no assunto, assim que a dor é percebida, elas começam a chorar. Seu pranto as purifica das sensações causadas pela dor naquele momento. E, chorando, elas lidam com a emoção e dão sequência ao que estavam fazendo, felizes da vida.

Alguém disse certa vez que, "ao chorar, você se renova", e é verdade! Precisamos mudar aquilo que aprendemos com a mídia e com os nossos pais a respeito de chorar e demonstrar emoções. O homem de aço é enferrujado por dentro. O pai de coração frio do tipo Cavaleiro Solitário cavalga em direção ao pôr do sol em busca de seu coração. Deus nos criou com a capacidade de chorar porque ele sabia que precisaríamos de uma maneira para extravasar a nossa dor. Se não nos permitimos pôr para fora aquilo que se passa no nosso interior, essas emoções ficam enclausuradas na nossa alma e endurecem o nosso coração. Se permanecemos machucados por muito tempo, ao final somos esmagados por mentiras amargas e promessas enganosas.

Se não nos permitimos o direito de pôr para fora aquilo que se passa no nosso interior, essas emoções ficam enclausuradas na nossa alma e endurecem o nosso coração.

Revelando um sistema de crenças prejudicial

As mentiras se personalizam em um mundo no qual as pessoas são punidas por demonstrarem emoções ou onde não há alívio para a dor. Você está entorpecido? Anda por aí na esperança de ter mais sentimentos, sem, contudo, alcançar esse objetivo? As palavras "Eu amo você", pronunciadas em voz alta, causam um estranho calafrio pelo corpo? Ou a ideia de compartilhar suas necessidades com outra pessoa parece sem sentido ou um sinal de fraqueza? Todos esses sintomas indicam que você está sob a influência de um sistema de mentiras.

João, o apóstolo do amor, escreveu: "[...] o perfeito amor expulsa o medo" (1João 4.18). Se pudesse arrancar o medo do seu sistema de crenças, logo perceberia que você não passa de um fantoche que dança, e se mexe, e vive manipulado pelo senhor do medo. Seus pensamentos, suas palavras e suas atitudes foram contaminados pelo medo da punição ou por uma mentira não revelada.

Deixe-me explicar. Megan, a mulher do início deste capítulo cujos pais haviam falecido, não se permitia chorar nem reconhecer suas necessidades. Quando ela me contou isso, pedi-lhe que fechasse os olhos e me dissesse a primeira coisa que vinha à sua mente. Ela então me olhou e disse:

— Acho que, se eu começar a chorar, não vou conseguir parar.

Perguntei o que ela entendia ser verdade a respeito da dor, e logo veio a resposta:

— Que não há cura para esse mal.

Antes da nossa conversa, Megan jamais havia analisado se acreditava, de fato, que o choro não teria fim e que não haveria cura para a dor. Ela vivia aprisionada pelo medo e controlada pelo pai da mentira. Se ela mesma não arrancasse de seu íntimo aquelas mentiras, permaneceria encarcerada!

Percebi que os cristãos processam tanto os fatos que acabam se convencendo daquilo que alegam crer. Mas, ao me dizer a primeira coisa que passou por sua mente quando fechou os olhos, Megan revelou o que de fato era verdade para ela em seu subconsciente. Há algo que você precisa entender: não agimos apenas em função do nosso estado mental consciente. Ao contrário, as decisões que tomamos e como nos comportamos são as primeiras manifestações do nosso subconsciente.

Lembro-me de, certo dia, ter sentido uma ansiedade tão assustadora a ponto de não conseguir me libertar dela. Era como se eu tivesse despertado de um pesadelo e não pudesse me livrar dele. Até que cansei de me sentir daquele jeito e decidi ir para a cama à tarde, descansar um pouco, na esperança de obter alívio para a tensão. Enquanto estava deitado, comecei a perguntar ao Espírito Santo por que eu estava sentindo tanta ansiedade. O que ele me revelou foi chocante.

O Senhor me mostrou que eu usava a ansiedade como uma ferramenta, tornando-a minha parceira para receber socorro. Bem, não sei o que você diria, mas, em hipótese alguma, eu gostaria de tornar a ansiedade minha parceira. Seria como arrumar minha cama em um ninho de cobras! Então, perguntei ao Espírito Santo: "Como foi que transformei a minha ansiedade em parceira?".

> AS DECISÕES QUE TOMAMOS E COMO
> NOS COMPORTAMOS SÃO AS PRIMEIRAS
> MANIFESTAÇÕES DO NOSSO SUBCONSCIENTE.

O Senhor mostrou que eu esperava até o último minuto para fazer as coisas, ou seja, até sentir ansiedade. Assim, era o sentimento de ansiedade que me motivava a executar as tarefas que eu estava negligenciando. Milhões de escamas pareceram cair dos meus olhos naquele momento, e tudo fazia sentido agora que Deus me havia revelado a parceria que eu estabelecera com a ansiedade.

Muitas pessoas agem da mesma forma em relação ao medo. Estabelecem parcerias para que esse medo as proteja da rejeição. O medo traz pensamentos como: *Se tentar ser você mesmo, será rejeitado* ou *A única forma de superar isso é entupir-se com pornografia*; ou mesmo pensamentos enganosos do tipo: *Ninguém mais sabe como você se sente, ninguém o entende de verdade*. Mentiras, como aquelas em que Megan acreditava, aprisionam a alma e transformam você em um fantoche do medo.

Descobrindo a mentira

O perfeito amor expulsa o medo! A atitude mais poderosa que podemos tomar em nosso próprio benefício quando estamos aprisionados pelo medo é permitir que o perfeito amor de Deus entre na nossa vida e nos dirija. O amor de Deus arranca as mentiras que nos mantiveram cativos e aprisionados. Mas primeiro precisamos descobrir que tipo de parceria firmamos com o medo.

Quando Megan declarou acreditar que, se começasse a chorar, jamais pararia, pedi ao Espírito Santo que lhe mostrasse a verdade. O Espírito Santo começou a revelar-lhe que, se ela se permitisse prantear e sentir emoções, ficaria curada por completo. Pedimos ao Espírito Santo que lhe mostrasse a verdade sobre a dor. Ele revelou que a dor não era algo incurável, mas muito fácil de ser tratado.

Quando descobri que havia feito uma parceria com a ansiedade, precisei me submeter à mesma orientação que o Espírito Santo ofereceu a Megan. Tive de romper o compromisso que havia assumido com o medo. Esse processo se resume a renunciar à mentira que eu acreditava ser verdadeira e substituí-la pela verdade de Deus.

Tomando uma atitude

A parte mais importante de tudo isso é que reconhecer que, se por um lado podemos renunciar às mentiras e romper com parcerias a qualquer momento do dia, então, se não mudarmos as nossas atitudes, nada foi feito para que alcançássemos de fato a transformação. Por exemplo, ao término da sessão de aconselhamento com Megan, eu a instruí a sondar sua dor e aprender a chorar. Quando fez isso, ela rompeu as algemas do medo que por tanto tempo a aprisionaram.

No meu caso, ao descobrir que havia firmado um pacto com a ansiedade, tive de tomar uma decisão: *Vou aprender a tratar dos problemas na hora, ou vou adiar como sempre fiz?* Não era possível romper aquela parceria e continuar agindo da mesma forma. O meu comportamento precisava refletir a minha nova forma de pensar.

Se você se reconheceu neste capítulo, saiba que é a língua mentirosa da acusação que tem prendido você ao medo e à dor.

Para ser libertado de verdade, você precisa fazer algumas perguntas a si mesmo e romper com os pactos que fez.

> SE VOCÊ SE RECONHECEU NESTE CAPÍTULO,
> SAIBA QUE É A LÍNGUA MENTIROSA DA ACUSAÇÃO
> QUE TEM PRENDIDO VOCÊ AO MEDO E À DOR.

Se você nunca conseguiu demonstrar as suas emoções, pense no que aconteceria se passasse a demonstrar os seus sentimentos. Se você sempre sentiu raiva, pense no que aconteceria se deixasse sua raiva de lado. Se você nunca conseguiu dizer "Eu amo você", pense no que aconteceria se dissesse às pessoas à sua volta que você as ama. É bem provável que comece a descobrir por que você é do jeito que é.

Uma vez que tenhamos passado por esse processo e descoberto a mentira, é hora de pedir que o Espírito Santo nos mostre qual é a verdade por trás das mentiras nas quais acreditamos. Depois disso, é hora de mudar o nosso modo de pensar e de agir.

A prática gera coragem

A expectativa mais comum que encontrei ao longo dos anos nos meus aconselhamentos é que as pessoas querem resultados em forma de pílulas. Elas chegam com questões difíceis e esperam que lhes entreguemos duas pílulas mágicas para tomarem três vezes ao dia e fazer todos os seus problemas desaparecerem. É claro que isso não chega nem perto do tratamento real. A verdade é que aquilo que mais tememos é exatamente o que mais precisamos fazer. A boa notícia é que a prática gera coragem!

A chave para a restauração total em determinada área é fortalecer-se nessa área. Por exemplo, se você passou a vida toda fechado, pois tem medo de ser rejeitado e magoado, sugiro que leia um livro sobre como estabelecer limites saudáveis e aprenda a expressar os seus sentimentos de forma que comece a se tornar forte nessa área. Se você tem medo de chorar e processar as suas emoções, recomendo que inicie um diário e sente-se com Deus para conversar e refletir sobre a dor. Permita que o Senhor mostre a você o caminho para resolver as questões que comportam tanta dor. Recomendo que você escreva cartas que nunca serão enviadas e poemas que só lerá como meio de ajuda para processar sua dor.

Os limites para a saúde

Uma das perguntas mais frequentes que me fazem é: "Por quanto tempo devo processar minha dor?". Mais cedo ou mais tarde, a pessoa precisará processar cada pensamento e cada memória que lhe trazem dor e medo, pois aquilo que ela evita encarar é, sem dúvida, o que a manterá aprisionada. Por isso entendo que processar a dor se parece muito com levantar peso. Se exercitarmos o dia inteiro, todos os dias, em vez de ficarmos mais fortes, forçaremos o nosso corpo de tal forma que ele não será capaz de exercer nem as funções básicas. Se processarmos nossa dor o dia inteiro, todos os dias, e nunca tivermos uma trégua emocional, estaremos a caminho de um colapso emocional, pois ficaremos tão cansados e fracos que a depressão tomará conta de nós.

> POR ISSO ENTENDO QUE PROCESSAR A DOR SE PARECE MUITO COM LEVANTAR PESO. SE EXERCITARMOS O DIA INTEIRO, TODOS OS DIAS, EM VEZ DE FICARMOS MAIS FORTES, FORÇAREMOS O NOSSO CORPO DE TAL FORMA QUE ELE NÃO SERÁ CAPAZ DE EXERCER NEM AS FUNÇÕES BÁSICAS.

Toda vez que se sentir deprimido, é muito provável que você esteja acreditando em uma mentira. No início deste capítulo, falei sobre como afastar as mentiras. Você se lembra do capítulo 5, em que escrevi sobre o fruto de momentos difíceis? Toda vez que você estiver sem esperança, deve voltar e reler esse capítulo. Depois, peça que seus amigos o lembrem de qual é o seu verdadeiro destino e do que Deus pensa a seu respeito. Quando passamos por momentos estressantes, também é muito importante dormir bem, exercitar-nos e divertir-nos. Percebi que a maioria das pessoas que sofre algum colapso não presta a devida atenção nesses pequenos detalhes.

Deixe-me ser bem claro aqui: quando falo em processar pensamento por pensamento, estou me referindo especificamente a eventos que ainda causam dor, não a algo que já foi tratado há muito tempo e não gera mais dor. É importante lembrar que a dor não foi designada para ser um estilo de vida, algo com o qual você deva conviver para sempre. Ao contrário, a dor ajuda a definir o problema para que ele seja exterminado da sua vida. Dar muita ênfase à dor pode provocar em você um complexo de mártir e transformar-se em um estilo de vida, em vez de funcionar como uma ferramenta que revela o que está errado a fim de que você seja restaurado.

Antes de prosseguir para o capítulo seguinte, separe tempo para processar qualquer dor que esteja no seu coração. Você deve se lembrar de que todo pensamento de dor pode ser uma dádiva que leva à restauração. Pelo processo de prantear a dor e substituir as mentiras pela verdade, você caminha em direção à saúde emocional. No capítulo seguinte, você verá como o perdão faz um pacto com a verdade para curar o nosso coração e libertar a nossa alma.

CAPÍTULO 8

O poder sobrenatural do perdão

Jody Bell era a rainha da beleza em todos os sentidos. Era bonita, jovem, tinha cabelos lisos e castanhos, uma pele linda e uma beleza incrível. Seu encanto, na verdade, havia se tornado um problema para ela. Por ter um pai ausente e uma mãe psicótica com quem não podia contar, ela se aperfeiçoou no uso de seus atributos físicos para atrair os homens e suprir suas necessidades.

As ofensas eram diárias e frequentes, ao passo que a necessidade de ser amada aumentava dramaticamente. E, a cada ofensa, sua mente era atacada de forma violenta com uma enxurrada de mentiras. Não demorou muito para que o estilo de vida de baladas drenasse a beleza de sua inocência. Como um presente que precisa ser embrulhado várias vezes, ela já não se sentia especial. Jody começou a se associar a palavras como "vadia" e "prostituta". Aquela garota aprontou de tudo e mais um pouco, e seus únicos amigos agora eram o arrependimento e o ódio de si mesma, os quais a acompanhavam em todos os momentos do dia.

A dor de ter perdido a si mesma era insuportável. Ela odiava a vida e, mais que isso, odiava a si mesma. Com aproximadamente 17 anos de idade, Jody começou a cortar os próprios braços para expressar a miséria que sentia. Os cortes viraram um estilo de vida, o único escape para uma garota que agora odiava a própria pele.

Ela mesma se acusava de ter sido usada e não possuir mais valor. Afinal de contas, quem amaria alguém que havia esculpido cicatrizes nos próprios braços?

A história de Jody não é incomum. Embora os detalhes sejam diferentes, a verdade permanece a mesma: *A pessoa mais difícil de amar e perdoar geralmente é você mesmo.* Talvez você se identifique com essa história ou partes dela. As decisões ruins causaram muita dor a você e também às pessoas que você ama. E, como foi você que tomou essas decisões, é o único culpado. O remorso é como uma ferida mortal que mantém você preso no passado, sangrando lentamente até que a vida se esvaia por completo. Enquanto a ferida não for completamente curada, o seu futuro será manchado pelo remorso e pelo ódio a si mesmo.

O REMORSO É COMO UMA FERIDA MORTAL QUE MANTÉM VOCÊ PRESO NO PASSADO, SANGRANDO LENTAMENTE ATÉ QUE A VIDA SE ESVAIA POR COMPLETO. ENQUANTO A FERIDA NÃO FOR COMPLETAMENTE CURADA, O SEU FUTURO SERÁ MANCHADO PELO REMORSO E PELO ÓDIO A SI MESMO.

Culpa e vergonha

Há outras duas emoções que são companheiras constantes: a culpa e a vergonha. Ajudo a supervisionar um grupo de pureza para homens viciados em sexo. Esses homens vêm de todas as esferas da vida. Alguns são ricos, e outros, pobres; alguns têm pais maravilhosos, e outros enfrentaram uma infância terrível. Mas cada homem que se senta naquela sala é, na verdade, um herói para mim. Eles reconhecem que seu problema é muito maior que eles próprios.

Ao curso de nove meses, investi muito tempo ensinando como quebrar o ciclo de destruição na vida daqueles homens.

Mas há uma noite em particular que se destaca. Eu estava explicando a respeito do poder que a vergonha exerce sobre nós. Então, pedi que eles fechassem os olhos e perguntei: "Quantos aqui estão lidando com a vergonha neste momento?". Nessa noite, havia entre 45 e 50 homens naquela sala e, com exceção de três deles, todos levantaram a mão. Então, eu disse àqueles homens que pedissem que o Espírito Santo revelasse por que haviam permitido que a vergonha entrasse na vida deles. Depois de alguns minutos, comecei a perguntar a cada um o que o Espírito Santo tinha revelado.

O primeiro que compartilhou já estava liberto dos laços da pornografia havia alguns meses, quase um ano. Mas, antes que entrasse no grupo, havia perdido a família inteira por causa do vício. Perguntei a ele o que Espírito Santo havia mostrado. Se ele já estava liberto da pornografia, por que ainda sentia vergonha?

Ele pensou por um minuto e timidamente respondeu: "O Espírito Santo me mostrou que tenho cultivado a culpa para que as pessoas pensem que estou realmente arrependido do que fiz. Se eu andasse na igreja, o lugar onde mais magoei as pessoas, com o semblante feliz, acho que eles não acreditariam que eu estava arrependido pelo que fizera".

Então, continuei e pedi que o Espírito Santo mostrasse àquele homem onde estava sua identidade. O homem pensou um pouco e disse:

— Está nas mãos da minha ex-mulher!

— Isso mesmo! — respondi. — Se a sua esposa tivesse perdoado você e estivesse feliz, você também se perdoaria e estaria bem em ser quem é, mas, porque a sua esposa escolheu viver amargurada, você se sente culpado em estar livre e ser feliz sabendo tudo o que fez!

Naquela noite, cada homem descobriu que a vergonha servia de fachada, uma proteção usada para que o mundo tivesse determinada opinião sobre eles. Uma das revelações mais poderosas que um rapaz teve naquela noite foi que ele havia usado a vergonha para mantê-lo no céu. Ele começou dizendo: "Quando viajava, a primeira coisa que eu colocava na minha mala era a vergonha. Não me lembro de ter vivido um único dia sem ela".

Esse homem tinha uns 40 e poucos anos, quatro filhos e uma esposa linda. Suas memórias mais remotas eram de estar sentado no corredor, esperando o pai terminar de assistir a algum tipo de pornografia para depois brincar com ele. Sem dúvida, os pecados de seu pai passaram para ele, que, como o pai, estava aprisionado à pornografia desde a adolescência. Perguntei o que ele queria dizer com "a vergonha me mantém no céu". Ele explicou que o sentimento de culpa o fazia lembrar todos os dias de quão terrível se sentia ao folhear revistas pornográficas. Sem o sentimento de culpa, ele acreditava que voltaria ao vício em um piscar de olhos.

Cada um daqueles homens aprendeu sobre o poder destrutivo da vergonha naquela noite. Embora muitos já estivessem libertos da pornografia havia meses e tivessem se arrependido e pedido perdão, ainda levavam a vergonha onde quer que estivessem, como se ela fosse um presente. Na realidade, a vergonha é um dardo inflamado enviado pelo Diabo para manter uma pessoa presa a seu pecado. Se tiver oportunidade, a vergonha fingirá ser seu melhor amigo e convencerá você de que está ali para o ajudar. Enquanto isso, ela rouba a sua liberdade e violenta a sua identidade.

O pecado é a mão do Diabo que desfigura a obra-prima do céu, a alma humana, transformando-a em um morto-vivo alquebrado. As mentiras e as acusações de Satanás são transmitidas com um pouquinho de verdade, tornando-se facilmente digeridas. Contudo, sempre que pensa em algo que não veio do coração de Deus, você está transgredindo o seu próprio corpo. Paulo disse:

"Pois todos pecaram e estão destituídos da glória de Deus" (Romanos 3.23). Por isso Cristo morreu e se entregou na cruz, para que não vivêssemos mais presos às leis do pecado, mas, sim, livres na nossa identidade, dada por Deus, de filhos e filhas do Rei vivo!

Independentemente do que você tenha feito, a mesma liberdade que foi estendida a mim e me libertou também libertará você. Quando entendemos a graça de Jesus e o que ele fez por nós na cruz, os grilhões da vergonha são removidos, porque Cristo já pagou pelo nosso pecado.

Para que sejamos livres por completo do pecado, precisamos nos perdoar da mesma forma que perdoaríamos uma pessoa qualquer, e devemos nos amar até sermos restaurados. Para chegar a esse ponto, precisamos entender o que é arrependimento de fato; se não descobrirmos qual é o problema real (sua raiz), estaremos sempre impedidos de gerenciar o ciclo da dor. E, sem resolver os motivos pelos quais não nos amamos, ou pelos quais permitimos que a culpa e a vergonha reinem na nossa vida, podemos com todas as nossas forças desejar ser diferentes, mas nada mudará, porque o ciclo do pecado continuará a se repetir.

Caminhando em direção ao arrependimento e à raiz dos problemas

Outro dia, aconselhei um rapaz que lutava contra a pornografia. Ele me disse que costumava ver pornografia uma vez por mês. Depois de ouvir sua história, simplesmente perguntei:

— Como você se sente antes de começar a ver pornografia?

— Eu me sinto sozinho e fora de controle — foi a resposta.

Comecei a fazer mais perguntas para descobrir a origem da solidão e da sensação de falta de controle. Assim, pedi que ele contasse sobre sua infância e falasse a respeito de seus pais. Ele explicou que o pai o havia deixado quando era muito novo e, embora hoje fizesse parte de sua vida, eles não tinham um laço forte de amizade. Sua mãe não soube lidar com o divórcio e, em seus mais sinceros esforços para enfrentar a situação, não parou de mudar de cidade. À medida que o passado daquele homem começou a se desdobrar diante de mim, ficou muito claro por que ele se sentia sozinho e fora de controle.

As pessoas mais importantes de sua vida (o pai e a mãe) eram emocionalmente distantes. Quando mais precisou deles, não estavam por perto para ajudá-lo. Para piorar as coisas, a inabilidade de sua mãe em fixar residência criou nele um sentimento de desesperança. Viver em casas com caixas da mudança e nunca poder ter um endereço fixo, sem criar raízes, gerou um sentimento de solidão e instabilidade. Quando criança, ele não conseguia satisfazer as necessidades de intimidade, portanto a pornografia se tornou seu escape.

Antes de entrar no meu escritório, aquele homem tinha um problema com a pornografia; mas, quando saiu, percebeu que a pornografia era apenas sintoma de um problema bem maior. Ele não tinha aprendido a satisfazer suas necessidades por meio de relacionamentos saudáveis.

A vergonha o havia convencido de que, se buscasse ajuda, seria considerado irresponsável e então rejeitado. Agora, ele sabia que precisava se arrepender e mudar a maneira de encarar os relacionamentos e a vida. Precisava aprender a satisfazer suas necessidades em Deus e na comunidade que o cercava, a fim de que fosse liberto do ciclo de destruição e culpa.

Encontrando a liberdade completa no perdão

O perdão é uma das verdades mais mal compreendidas e mal utilizadas no Reino. Conheci milhares de pessoas que passaram anos tentando perdoar os que os feriram. Embora seus esforços fossem verdadeiros e seu coração estivesse puro, continuaram a lutar contra a amargura e a ofensa por anos.

Perdoar não significa que tenhamos de achar ótimo o que aconteceu conosco; nem significa que precisamos nos reconciliar com a parte ofensora. Nem mesmo implica que voltemos a confiar na pessoa que nos magoou. Confiança e perdão não são a mesma coisa. Por exemplo, se uma mulher é violentada em um beco escuro, ela deve perdoar o estuprador; do contrário, o ódio e a amargura acabarão devorando seu íntimo. Mas ela não precisa ficar sozinha com aquele homem novamente. A confiança é conquistada por meio do relacionamento, mas o perdão foi comprado por Cristo na cruz.

Oferecer perdão significa que damos a Deus permissão para fazer justiça em nosso lugar e liberamos as pessoas do nosso julgamento e das nossas tentativas de fazer justiça por meio da punição (falamos sobre justiça verdadeira no capítulo 4). Trabalhando com muitas pessoas, descobri que, quando pedimos que o Espírito Santo nos mostre como ele enxerga a parte agressora, ele nos faz sentir compaixão por ela. Uma vez que sentimos compaixão, oferecer perdão é muito mais fácil.

> CONFIANÇA E PERDÃO NÃO SÃO A MESMA COISA.
> [...] A CONFIANÇA É CONQUISTADA POR MEIO
> DO RELACIONAMENTO, MAS O PERDÃO FOI
> COMPRADO POR CRISTO NA CRUZ.

Jesus foi abandonado para que fôssemos aceitos

Quando Jesus morreu na cruz, ele não tapou os ouvidos, dizendo: "Lá, lá, lá, não dou a mínima para quem está fazendo isso comigo". Imagine por um momento como Jesus, que esteve ao lado do Pai por toda a eternidade, sentiu-se terrível na crucificação quando seu Pai o abandonou.

Ele disse: "Meu Deus! Meu Deus! Por que me abandonaste?" (Mateus 27.46). Pela primeira vez, o Filho eterno se sentiu separado do Pai! Porque Jesus levou o pecado do mundo inteiro sobre si, experimentou a angústia que o pecado traz, visto que o pecado nos separa do Pai. A dor do abandono foi pior que a dor da crucificação!

A Bíblia diz: "e lhe deram para beber vinho misturado com fel; mas ele, depois de prová-lo, recusou-se a beber" (Mateus 27.34). O vinagre poderia funcionar como analgésico, ao passo que o vinho era um analgésico bem conhecido. Jesus recusou-se a tomar o vinagre e o vinho porque não queria simplesmente morrer pelos nossos pecados, mas também queria que a nossa dor morresse com ele. Portanto, recusou a anestesiar seu sofrimento. Assim, viver com dor é uma violação da cruz. Devemos abraçar a dor tempo suficiente para descobrir a raiz do problema e receber a cura. Não precisamos temer a dor, pois ela é um inimigo que foi derrotado no Calvário.

Se você nasceu de novo e ainda está lidando com algo do passado que causa dor, volte aos capítulos 6 e 7 e trabalhe esse sentimento. A liberdade sem medidas chega quando entendemos tudo o que Cristo fez por nós. A partir daí, sentimos compaixão pelas pessoas que nos feriram. É nesse lugar que encontrei a maior vitória da minha vida e da vida dos que estão ao meu redor.

> DEVEMOS ABRAÇAR A DOR TEMPO SUFICIENTE PARA DESCOBRIR A RAIZ DO PROBLEMA E RECEBER A CURA. NÃO PRECISAMOS TEMER A DOR, POIS ELA É UM INIMIGO QUE FOI DERROTADO NO CALVÁRIO.

O nosso processo de perdão

Existem muitas pessoas que não se beneficiam da obra que Jesus efetuou na cruz e, por consequência, sofrem em vez de experimentar o poder total da redenção de Cristo. Esse ponto mexeu comigo outra noite, quando eu ministrava a uma jovem na sala de oração da nossa igreja.

Eu não sabia que um jovem havia abusado sexualmente dela na infância. No segundo em que comecei a orar por aquela jovem, percebi que ela não se amava. Sussurrei: "Repita comigo: 'Eu me amo!'". E as minhas palavras fizeram que ela tremesse à medida que a dor começava a brotar. Ela havia carregado esse tormento dentro de si por anos, mas havia suprimido as mentiras que a aprisionavam.

Relutante, ela repetiu: "Eu... eu... eu me amo". A seguir, pedi-lhe que repetisse: "Eu me perdoo". Batendo o queixo, ela repetiu comigo: "Eu me perdoo".

Então lhe pedi que repetisse: "Sou plenamente amada!".

Mais uma vez, ela respirou fundo, tentando controlar as emoções que começavam a ficar cada vez mais fortes: "Sou plenamente amada", repetiu ela. Continuei a ajudá-la a reconhecer a dor. Ela lutava para não sentir a dor que armazenava em seu íntimo.

Fiz que a jovem repetisse: "Renuncio à mentira de que não é certo sentir dor. Renuncio à mentira de que chorar é fraqueza. Renuncio à mentira de que é errado pensar no que aconteceu comigo". Ao chegarmos ao último item, percebi que a dor era muito mais forte do que ela podia aguentar. Seu corpo todo tremia, e ela começou a dizer que não conseguia pensar no assunto.

Mais uma vez eu lhe disse: "Quero que, em sua mente, diga a seu abusador o que sentiu quando ele abusou de você!", Ela ficou quieta. Percebi que estava começando a processar a dor porque começou a ficar brava e se mostrou cada vez mais tomada pelas emoções. De repente, explodiu e começou a gritar na sala de oração: "Eu odeio você, odeio você pelo que fez comigo! Odeio você por ter roubado a minha inocência e por usar a pressão dos amigos para me fazer cair em uma armadilha".

A jovem ficou repetindo a mesma coisa por algum tempo. Depois eu lhe disse: "Quero que peça que o Espírito Santo mostre a você como ele vê seu agressor".

Ela parou por um minuto a fim de ouvir o Espírito Santo e, depois, disse: "Ele o ama da mesma forma que me ama!".

A essa altura, a jovem começou a entender que, mesmo que sentisse ódio e tristeza pelo rapaz, Deus o amava da mesma maneira que a amava. Depois de se vincular à dor das circunstâncias passadas e verbalizar quão destrutivas foram as ações daquele homem para com ela, a jovem perguntou como o Espírito Santo o via e, de repente, sentiu compaixão por ele e estava pronta para o passo seguinte.

Comecei a ajudá-la a perdoar, fazendo-a repetir: "Perdoo você por abusar de mim. Perdoo você por roubar a minha inocência. Perdoo você por tirar de mim o que não era seu e por ser tão egoísta".

Passei um tempo ajudando aquela garota a perdoar cada delito, e depois fizemos uma oração abençoando os dois. Ela saiu da sala de oração naquela noite completamente revigorada, sem o peso das emoções do passado sobre seus ombros. Pela primeira vez em anos, ela estava livre!

As chaves da liberdade para o perdão

Deixe-me reiterar as chaves essenciais para o perdão para que você possa se ajudar ou ajudar alguém a se livrar da escravidão da dor:

- Conecte-se com o trauma, em vez de fugir dele.
- Verbalize (em particular ou com um conselheiro de confiança) a dor que o agressor fez você sentir.
- Peça que o Espírito Santo mostre a você como ele enxerga o agressor e prove da compaixão divina por aquela pessoa; depois, faça uma oração de perdão em favor do agressor.

Esses são componentes fundamentais para experimentar o coração de Deus em meio a uma situação dolorosa.

A inclemência é uma tirana implacável que guarda o calabouço das ofensas passadas. O perdão é uma escolha, mas não uma opção para quem deseja viver uma vida cheia de alegria. É importante lembrar que o perdão é um ato da vontade, não um ato emocional. Portanto, não é possível mensurar a profundidade do perdão pelos sentimentos. Quando Jesus nos perdoou por todos os nossos pecados, ele nos deu o poder para perdoar aqueles que nos feriram. Sabemos quando perdoamos de verdade, porque não queremos mais que o nosso agressor seja castigado.

O perdão pode ser comparado a uma semente plantada no bom solo do seu coração. Ao aguar a semente do perdão trazendo sempre à memória que você decidiu liberar o seu agressor da vingança, a dor em sua alma começa a se dissipar, pois, ao fazer as escolhas certas, as feridas param de inflamar, e o seu coração recebe cura. Embora esse processo possa levar algum tempo, você pode ter certeza de que ficará completamente curado.

Capítulo 9

Amor verdadeiro

Subi na cama, exausto de tanto trabalhar, e logo caí em um sono profundo e comecei a sonhar. Em poucos minutos, encontrei-me preso em uma sala feita de vidro. Não demorou muito para que eu percebesse que aquele lugar não se parecia com nenhum local conhecido por mim. Apavorado, procurei por uma saída que não existia.

A minha ansiedade aumentou quando comecei a esmurrar as paredes de vidro, tentando quebrá-las e fugir. Então, o meu terror se transformou em admiração, porque percebi que as paredes eram grossas e, ao mesmo tempo, fluidas e vivas. Quando as empurrava, sentia uma forte corrente de emoção fluindo pelas paredes, a mesma sensação que temos quando estamos em um rio. Quando me encostei à parede, o peso de amor por todo o mundo recaiu sobre mim de tal forma que caí ajoelhado.

Foi nesse momento que percebi que estava preso à eternidade por uma força desconhecida que me mantinha ali. Tomado por aquele intenso sentimento de amor pelo mundo, comecei a observar mais profundamente as paredes. Quanto mais me aprofundava, mais eu conseguia enxergar o que pareciam milhões de filmes de todos os tipos. Comecei a entender o que estava acontecendo. Não eram filmes, mas a vida de pessoas passando bem diante dos meus olhos. Com o coração disparado, comecei a fazer perguntas em voz alta, sem nenhuma expectativa de obter respostas.

— Como vim parar aqui? — gritei.

Na mesma hora, como se alguém já esperasse a pergunta, uma voz respondeu:

— Eu o trouxe aqui.

Aquelas palavras queimaram fundo o meu coração. Eu nunca havia sentido esse tipo de compaixão.

Enquanto o Senhor falava, sua presença começou a me cercar como uma densa neblina. Eu podia sentir a santidade irradiando cada célula do meu corpo. Senti, pela primeira vez na vida, um amor puro, e o peso do mundo foi tirado dos meus ombros. Deitado com o rosto voltado para baixo, senti a alegria do Senhor aumentando à medida que me aproximava de seu coração e seus pensamentos se tornavam os meus pensamentos. "Quero mostrar-lhe por que trouxe você aqui", disse-me o Senhor.

> EU PODIA SENTIR A SANTIDADE IRRADIANDO CADA CÉLULA DO MEU CORPO. SENTI, PELA PRIMEIRA VEZ NA VIDA, UM AMOR PURO, E O PESO DO MUNDO FOI TIRADO DOS MEUS OMBROS.

Um filme da minha vida começou a rodar em reverso, bem diante dos meus olhos, repassando o meu nascimento, a minha concepção, até chegar à eternidade. À medida que o filme se desenrolava, eu conseguia me ver com Deus em um lugar sem tempo, antes de a terra ser criada. Ele apontou para mim e disse: "Aqui eu já o conhecia!". Então, acelerou o filme até chegar o momento da minha concepção no ventre da minha mãe. Fiquei observando enquanto o Senhor, com muito zelo, formava-me ali. Um conjunto de projetos com o meu nome apareceu, e observei Deus formando em mim cada atributo exclusivo, e só meus. Talentos, habilidades, personalidade e aparência foram meticulosamente formados no ventre da minha mãe de acordo com o perfeito plano de Deus.

Em seguida, ele colocou a mão no meu coração e estabeleceu em mim um propósito profundo, algo que ninguém poderia realizar, um chamado que apenas eu poderia desempenhar. Ao observá-lo em silêncio enquanto me formava, percebi que cada um dos meus atributos era, na verdade, um reflexo de sua semelhança. Portanto, as pessoas poderiam experimentar um pedaço de Deus ao observar a minha vida.

Quando o filme terminou, o Senhor me pegou, colocou-me em seu colo e me abraçou bem apertado, dizendo: "Você é o meu favorito, sempre foi o meu favorito!". Suas palavras desceram como amor líquido pelo meu corpo, levando cura a cada pedaço destruído em mim e me libertando por completo.

À sua imagem

Milhares de anos atrás, Deus disse ao profeta Jeremias: "Antes de formá-lo no ventre eu o escolhi" (Jeremias 1.5). Em Gênesis 1.26, Deus anunciou: "Façamos o homem à nossa imagem, conforme a nossa semelhança". Pense nisso: o Mestre artesão mais incrível e lindo nos criou à sua imagem! Esse registro de como fomos criados é incrível!

O segundo ponto importante nesse versículo é que Deus planejou a nossa história antes da criação do mundo! Se ele sabia que nasceríamos, então devia ter um plano e um propósito para a nossa vida, porque Deus não comete erros.

O apóstolo Paulo escreveu: "Nele fomos também escolhidos, tendo sido predestinados conforme o plano daquele que faz todas as coisas segundo o propósito da sua vontade" (Efésios 1.11) Fomos criados pelo desígnio divino! Deus não está assentado no céu se perguntando o que fará com todas as pessoas que estão nascendo.

Um dos maiores erros do nosso relacionamento com Cristo é compreender mal quem somos e como fomos formados. Quando nos desvalorizamos, estamos diminuindo o Criador, porque fomos formados à sua imagem. E não só isso, mas, quando recebemos Cristo, ele faz um transplante de cérebro em nós. Ele pega o nosso cérebro e nos dá o seu, exatamente como a Bíblia afirma: "Nós, porém, temos a mente de Cristo" (1Coríntios 2.16)

A verdade sobre o amor

Muitos cristãos têm aprendido exatamente o oposto. Lembra-se da história de Jody? Seu maior problema era que ela não se amava e não conseguia se perdoar. Normalmente, a pessoa mais difícil de perdoar é você mesmo! Quando somamos esses dois fatores, o resultado é uma Noiva machucada e artrítica, implorando que o Noivo venha salvá-la, em vez de uma Noiva vitoriosa que traz o céu para a terra!

A maioria dos problemas tem origem no ódio a si mesmo, porque nunca permitiremos que ninguém nos ame mais do que nos amamos. Por isso Jesus disse: "Ame o seu próximo como a si mesmo" (Mateus 22.39). Se não nos amamos quando alguém sente um amor profundo por nós, a ideia de que aquela pessoa nos rejeite é insuportável e dolorosa. Então, sem perceber, em vez de arriscar uma grande rejeição, sem nos darmos conta, sabotamos o relacionamento com o intuito de nos protegermos.

Outro cenário que com frequência surge quando alguém nos ama mais que nós mesmos nos amamos é que criamos uma dependência (codependência) para com a pessoa, porque temos medo de que ela nos abandone. Portanto, vivemos à mercê de outro, em vez de estabelecermos limites e compartilharmos as nossas necessidades mais íntimas — isso é o amor verdadeiro. Por isso Salomão escreveu: "Três coisas fazem tremer a terra, e quatro ela não pode suportar", e nomeou a terceira como "a mulher desprezada que por fim se casa" (Provérbios 30.21,23).

O padrão com o qual nos amamos é também o padrão com que amamos os outros. Sem dúvida, se não nos amamos, as chances de amarmos alguém com o padrão de Deus são mínimas. Não podemos viver odiando quem somos e de dentro desse mesmo vaso oferecer vida e esperança às pessoas ao nosso redor. Não é assim que funciona! Amar a nós mesmos de acordo com o padrão de Deus é a única forma de termos relacionamentos verdadeiros, felizes e saudáveis.

Há tantas opiniões diferentes sobre o amor que parece loucura avançar neste tema sem uma definição precisa.

> AMAR A NÓS MESMOS DE ACORDO COM O PADRÃO DE DEUS É A ÚNICA FORMA DE TERMOS RELACIONAMENTOS VERDADEIROS, FELIZES E SAUDÁVEIS.

O amor não é apenas uma emoção passageira que vem e vai com o vento. Nem é uma faísca criada em um momento inflamado de euforia. O amor é uma escolha! O amor é sacrifício! O amor são limites; e, ao mesmo tempo, o amor é incondicional. Encontramos em Jesus o mais lindo modelo de amor que já tivemos na terra. Ele foi e é a personificação do amor verdadeiro. Ele cuidou de si mesmo e de suas próprias necessidades, e ainda assim era poderoso, e ele se doou. Trouxe o melhor de si a cada situação e usou isso para construir o melhor nos outros. E, por fim, ele se entregou ao açoite e à cruz para restaurar o nosso relacionamento com o Pai. Jesus disse: "Ninguém tem maior amor do que aquele que dá a sua vida pelos seus amigos" (João 15.13). A habilidade de Jesus de entregar sua vida e edificar outros se baseava no fato de que ele primeiro se amou!

Ele sabia de onde vinha e qual missão o Pai lhe havia confiado; portanto, sabia que era singular e que deveria doar-se.

Quem você diz que é?

Não é suficiente saber o que as Escrituras dizem a seu respeito, porque a sua identidade não está na sua mente; está no seu coração. Jesus afirmou: "O homem bom tira coisas boas do bom tesouro que está em seu coração, e o homem mau tira coisas más do mal que está em seu coração, porque a sua boca fala do que está cheio o coração" (Lucas 6.45). Quem somos, e o que cremos ser verdade sobre nós, deriva de múltiplas fontes.

Se você ainda não conseguiu entender o que quero dizer e está dizendo a si mesmo que não se ama como deveria se amar, em primeiro lugar você precisa voltar e reler o meu sonho sobre a criação no início deste capítulo para relembrar como Deus o criou e como ele o vê. Todos os dias medite nessas verdades até que elas se tornem verdades suas.

A seguir, lemos: "e levamos cativo todo pensamento, para torná-lo obediente a Cristo" (2Coríntios 10.5). Trate cada pensamento que oferece perigo para sua identidade ou que seja contrário ao que Deus diz sobre você, um transgressor. Esses pensamentos são maus por natureza e surgem para corroer a nossa identidade. Você tem permissão para ordenar a cada pensamento em desacordo com a Palavra de Deus que saia da sua mente.

Agora, vamos dar uma olhada em como você conversa consigo mesmo. Conversas positivas devem fazer parte da vida do cristão para que ele seja saudável e íntegro. Pense no que aconteceu com você nesta semana e se pergunte quantas vezes teve pensamentos que não eram de Deus. O pastor da Bethel Church, Bill Johnson, disse: "Não podemos nos permitir ter um único pensamento que não seja de Deus". Quantas vezes nesta semana você falou consigo mesmo de maneira destrutiva?

> TRATE CADA PENSAMENTO QUE OFERECE PERIGO À SUA IDENTIDADE OU QUE SEJA CONTRÁRIO AO QUE DEUS DIZ SOBRE VOCÊ, UM TRANSGRESSOR.

Sempre digo às pessoas que apresentam problemas de identidade: "Você tem permissão para, enquanto aguarda no sinal fechado, pensar em quanto você é incrível!". O espírito religioso afirma: "Você acabará deixando que o orgulho o domine!". Mas a verdade é que, quando temos em mente que nascemos para ser incríveis porque fomos feitos nos moldes de Jesus e criados pelo próprio Deus, o orgulho é a última coisa com a qual precisamos nos preocupar. O orgulho normalmente surge quando tentamos nos elevar por causa da nossa insegurança.

Amores falsos

Uma das maiores tragédias do amor é que ele tem sido confundido com a paixão. O amor verdadeiro se baseia no sacrifício — em renunciar e entregar a vida. Paixão é uma emoção que sentimos na busca e na descoberta do outro. Não devemos confundir paixão com amor. Nem a busca pela paixão deve vir antes do alicerce do amor. Quando os relacionamentos se baseiam na paixão, a emoção determina a profundidade da ligação e, antes que você se dê conta, escuta casais dizendo: "Nós não nos amamos mais!". Espere aí! Amar e deixar de amar alguém não faz sentido!

O amor é uma decisão. Quando os casais decidem parar de se sacrificar e entregar a vida um pelo outro, o amor adormece e o relacionamento começa a morrer. A paixão é uma parte saudável dos relacionamentos íntimos quando o amor está no centro do pacto. Mas, se um casal usa a paixão como o elo que o mantém junto, o relacionamento será apenas um incêndio passageiro, em vez de uma chama eterna.

Esta é a promessa do amor: você terá sentimentos. Um amor envolto em aço não sente nada. Após ser severamente ferido pelo amor e suas muitas fachadas, eu sabia muito bem, no âmago do meu ser, que, para amar de novo, teria de arriscar de novo. Com tantas marcas dolorosas de amor, porém, senti-me tentado a jogar fora a chave da jaula que protegia o meu coração. Se eu quisesse abrir os portões do meu coração, precisaria estar atento aos diversos amores falsos.

Amor egoísta

O primeiro amor falso é o amor egoísta. Esse tipo só oferece algo pensando no que receberá em troca; ele dura pouco, deixando incêndios e portas fechadas para trás. O amor egoísta vem maquiado de conversas doces e movimentos sutis, cortejando a vítima para a vulnerabilidade antes do golpe fatal. O sinal que identifica o amor egoísta é a inabilidade de sacrificar-se e servir ao outro. Quando você se vir em uma situação na qual alguém não está disposto a satisfazer as necessidades dos outros, sinta-se à vontade para escapar!

O AMOR EGOÍSTA VEM MAQUIADO DE CONVERSAS DOCES E MOVIMENTOS SUTIS, CORTEJANDO A VÍTIMA PARA A VULNERABILIDADE ANTES DO GOLPE FATAL.

Amor sem nenhuma necessidade

Outro amor falso é o amor desprendido. O amor desprendido entrega-se a qualquer um que pedir, na esperança de um dia preencher o poço sem fundo no qual sua alma reside. Pessoas assim sustentam sua identidade como se fossem o sangue que nutre as sanguessugas. Pessoas impotentes, que fingem não ter necessidades, normalmente oferecem esse tipo de amor. Mas, sem compartilhar necessidades, o amor nunca é completo. Nesse tipo de relacionamento, há apenas uma pessoa poderosa, é não é aquela que ama abnegadamente. O medo encoberto é que, se ela expressar suas necessidades, será abandonada.

Amor inebriado

O terceiro tipo de amor falso é o inebriado (também conhecido como amor cego). Ele é alimentado por uma intoxicação de emoções, normalmente causadas por desespero e medo. Esse amor perigoso ignora todos os limites, erra por não ceder aos sinais de alerta, que indicam a necessidade de buscar ajustes. O amor inebriado pode resultar em uma pilha de arrependimentos, com pouco ou nenhum proveito. Você normalmente sabe que está nessa situação quando todos ao redor gritam: "PERIGO!". Mas o apaixonado inebriado justifica sua intoxicação com clichês do tipo: "Ninguém me entende". Toda vez que usar esse tipo de justificativa para permanecer em um relacionamento, você está perdido!

A minha vida agora

Quando o meu casamento desmoronou, aprendi muito sobre mim mesmo. Tenho sido impulsionado a crescer na vulnerabilidade, por desejar amar o próximo verdadeiramente. Cada relacionamento me dilata e, a cada erro ou mágoa, tenho de escolher a aprender, em vez de fugir. O amor é um negócio arriscado, e não há garantias quando se trata de confiar em alguém. Os questionamentos se multiplicam porque o solo do meu coração é constantemente revirado pelo arado relacional. Preciso aprender a amar e, ao mesmo tempo, usar o discernimento para compreender a natureza do amor verdadeiro. Amor sem um padrão não é amor. É apenas a dor tentando encontrar um lar.

Muitas facetas se mascaram como amor verdadeiro; mas, quando provei seu fruto, descobri a falta de atributos que os amores falsos abrangem. Quem prova dos amores falsos acha que experimentou o amor verdadeiro, mas sai machucado. A fim de encontrar amor verdadeiro, tive de conhecer seus atributos. Em 1Coríntios 13.4-7, Paulo descreve, com detalhes ricos e belos, as características do amor verdadeiro:

> O amor é paciente, o amor é bondoso. Não inveja, não se vangloria, não se orgulha. Não maltrata, não procura seus interesses, não se ira facilmente, não guarda rancor. O amor não se alegra com a injustiça, mas se alegra com a verdade. Tudo sofre, tudo crê, tudo espera, tudo suporta.

Amor é liberdade. É inteireza. O amor honra. Caminhar de novo pela vereda do amor me fez lembrar dessa verdade, pois sou o único que tem o poder de decidir em que tipo de relacionamento devo me envolver. Sou eu quem define o padrão.

O amor não é amor, a menos que custe alguma coisa. O amor não é amor, a menos que busque o melhor para o outro. O amor não é amor, a menos que conduza à liberdade.

Por ter sido tão ferido em um relacionamento e por estar do outro lado, agora posso ver e apreciar os maravilhosos atributos do amor. Percebo agora que Deus me ama incondicionalmente. Depois de passar pelo que passei, sentindo como se aquela dor significasse o fim da minha vida, reconheci que não foram as minhas escolhas que quase me mataram, mas as escolhas de outra pessoa. Apesar de suas falhas e de todo o abuso no nosso relacionamento, nunca perdi o meu amor por ela ou a esperança de que ela se tornasse íntegra. Se eu posso passar por isso e amá-la a despeito do que tenha acontecido, Deus me ama muito mais! Afinal de contas, fui quem o levou à cruz e o feriu com o chicote.

> O AMOR NÃO É AMOR, A MENOS QUE BUSQUE
> O MELHOR PARA O OUTRO. O AMOR NÃO É AMOR,
> A MENOS QUE CONDUZA À LIBERDADE.

CAPÍTULO 10

Perigo: bandeiras vermelhas

Vários fatores são determinantes para que a pessoa tenha saúde emocional e esteja inteira nos seus relacionamentos. A paz é um desses fatores que não podem faltar.

Muitas vezes na vida, senti-me em verdadeiras batalhas épicas, lutando pela conquista da minha própria paz. Essas guerras não eram anunciadas pelo toque da trombeta, avisando sobre a presença do exército inimigo; nem havia soldados no campo de batalha com escudos e lanças. O campo de batalha era a minha mente, e os inimigos eram as mentiras enganadoras que ali se instalavam sem que eu notasse.

Já que você vive no mundo real, estou certo de que já passou por isso. Esses inimigos com os quais lutamos se manifestam por meio de insegurança, raiva, solidão, rejeição, autocomiseração, frustração e assim por diante. E, embora esses sentimentos não sejam ruins, se ignorados, tornam-se tão destrutivos quanto o próprio Diabo.

Uma das coisas mais importantes que devemos saber sobre esses sentimentos é que eles precisam de atenção imediata, porque têm enorme influência sobre nós. Refiro-me as esses sentimentos como "sinais de alerta". Todo sinal de alerta, independentemente de qual seja — solidão, insegurança ou qualquer outro sentimento —, deixa-nos extremamente vulneráveis à nossa violação ou à violação por outra pessoa. É importante saber que, tanto no final quanto no início de um relacionamento, você estará mais suscetível a esses sinais de alerta.

Três meses atrás, acordei às 7 da manhã e descobri que o meu cérebro já estava desperto, processando informações havia algum tempo. Enquanto permaneci deitado, pensamentos de insegurança atravessaram a minha mente, apresentando-se um a um. Por um segundo, pensei que devia deixá-los de lado e voltar a dormir, na esperança de que desapareceriam sem nenhum esforço. No entanto, quanto mais tempo fiquei deitado, mais percebi que esses sabotadores não me deixariam em paz. A insegurança começou a dominar a minha alma a ponto de controlar os meus pensamentos. Quando percebi que aquele não era o meu estado normal, tive de tomar uma decisão: ignorar ou lutar contra isso.

Concluí que sair de casa com um coração faminto e sem paz não era uma boa ideia! E, já que era meu dia de folga, decidi gastar três horas deitado, lutando contra essa insegurança, pois sabia que as consequências de sair por aí me sentindo inseguro seriam péssimas. Explico.

O meu trabalho é ajudar a cuidar de 800 alunos e 10 pastores da Escola Ministerial, e ainda pastorear 65 alunos meus. Grande parte das minhas obrigações como pastor e supervisor da escola me prendem a um escritório, onde aconselho jovens a lidarem com seus problemas. Se eu entrar na sala com um aluno ferido e me sentir inseguro, corro um alto risco de derramar a minha insegurança sobre a pessoa à minha frente e contaminá-la com alguma coisa que não estava no coração dela.

Mesmo que isso não afete a paz interior deles de modo negativo, se de alguma forma eu me sentir melhor ou menos inseguro pelos elogios que recebo, terei me tornado um escravo do louvor humano e estarei sempre preso a isso.

Pequenas chamas se transformam em incêndios florestais!

Ao longo deste livro, apresentei vários exemplos de pessoas que destruíram a própria vida ou a vida dos outros. Cada uma dessas violações não se iniciou com força total, mas com uma pequena faísca que não recebeu a devida atenção e, por fim, transformou-se em um incêndio florestal, acabando por prejudicar os outros.

Um grande exemplo disso, embora seja um exemplo difícil, é a vida de Ted Bundy. Ele foi um dos assassinos em série mais temidos e mais frios do nosso tempo. Mas ele não começou como uma alma endurecida em busca de sangue. Seus problemas se iniciaram na adolescência, por volta dos 13 anos, quando ele se viciou em pornografia. Seu vício se agravou dramaticamente ao longo dos anos. Não demorou muito para que ele desejasse cenas mais explícitas e violentas, as quais eventualmente o levaram a se aprofundar no vício até finalmente se transformar no famoso Ted Bundy.

Sei que a história de Ted Bundy é um exemplo fora dos padrões, mas a verdade é que, se ele tivesse cuidado da pequena necessidade que tinha em seu coração aos 13 anos, quando ela era apenas uma faísca, a vida de muitos, incluindo a dele, poderia ter sido transformada para sempre. Contudo, pelo fato de Ted Bundy não conseguir descobrir do que precisava nem procurar ajuda, a faísca da perversão e da carência de se sentir importante resultou em um ódio que ceifou muitas vidas.

O namoro é um exemplo menos dramático de como pessoas pouco saudáveis podem criar relacionamentos disfuncionais. Em um namoro, é comum que a insegurança acelere o ritmo do relacionamento, levando ambas as partes a se envolverem e aceitarem determinada intimidade sem que haja um alicerce de confiança. Ninguém gosta de se sentir inseguro em um relacionamento, mas a mentira é pensar: *Se alcançarmos o ponto em que estivermos totalmente comprometidos, a insegurança desaparecerá.* Portanto, o ritmo da intimidade se acelera, e os limites se cruzam. Com dois anos de casado, você descobre que o alicerce de confiança não existe, e daí fica tentando em vão encontrar o ponto de equilíbrio no relacionamento.

> PELO FATO DE TED BUNDY NÃO CONSEGUIR DESCOBRIR DO QUE PRECISAVA NEM PROCURAR AJUDA, A FAÍSCA DA PERVERSÃO E DA CARÊNCIA DE SE SENTIR IMPORTANTE RESULTOU EM UM ÓDIO QUE CEIFOU MUITAS VIDAS.

Por outro lado, se sabemos que estamos inseguros em um relacionamento, e nos dedicamos a lidar com a insegurança, então ambos estão protegidos. Em vez de o medo ser a força propulsora do relacionamento, a motivação para um relacionamento mais profundo se fundamenta na confiança.

Eu poderia dar milhares de exemplos de problemas que começaram pequenos e cresceram a ponto de se tornarem apenas uma ponta do *iceberg*, porém o ponto mais importante nesta parte do livro é que qualquer necessidade que for ignorada — a insegurança, a solidão, a frustração, a raiva, o ódio a si mesmo e assim por diante — crescerá e se transformará em algo gigante. Pode não ser hoje nem amanhã, mas é muito parecido com o efeito de uma farpa sob sua pele. Se for ignorada, a farpa começa a inflamar e se tornar uma infecção. O local ficará tão dolorido a ponto de você não suportar o toque de ninguém. E, até que você retire o material, a infecção continuará a se desenvolver.

A importância da autoconsciência

Cada ser humano tem necessidades que, se não forem satisfeitas, causarão mais cedo ou mais tarde algum tipo de dor. Muitas pessoas não têm a menor ciência daquilo em que acreditam, do que sentem ou do que precisam. O problema é que somos indivíduos programados para termos as nossas necessidades satisfeitas, tenhamos ou não consciência da sua existência. E, se não reconhecermos do que realmente precisamos, as chances de satisfazermos as nossas necessidades de maneira saudável diminuem drasticamente.

O processo de conscientização a respeito do que pensamos, sentimos e precisamos é chamado de "autoconsciência". Tornar-se consciente é uma das maiores defesas que temos. Sem autoconsciência, caminhamos por um campo de batalha sem armadura e com um alvo desenhado no peito. É apenas uma questão de tempo para levarmos um tiro no coração, sem perceber que seremos atingidos em virtude de uma decisão ruim.

O processo de se tornar autoconsciente não é científico, mas uma prática que requer atenção e esforço. Há várias maneiras para aprimorar a habilidade de sabermos o que se passa no nosso coração. O primeiro passo é reconhecer que temos necessidades que requerem algum tipo de ação. Uma das melhores maneiras para descobrirmos do que precisamos é prestar atenção nos nossos sentimentos. Por exemplo, se ficamos irados, em algum lugar do nosso ser existe uma necessidade tentando ser suprida. A ira, por exemplo, pode surgir de uma sensação de impotência e falta de controle sobre a situação; se estamos nos sentindo assim, precisamos parar e procurar entender o que provocou esse sentimento.

SEM AUTOCONSCIÊNCIA, CAMINHAMOS
POR UM CAMPO DE BATALHA SEM ARMADURA E
COM UM ALVO DESENHADO NO PEITO.

Muitas razões podem levar uma pessoa a ficar irada, mas, se procurarmos qual é a origem, descobriremos o motivo pelo qual nos sentimos dessa forma. Podemos não conseguir resolver o principal motivo que nos deixou irados, mas podemos decidir o que fazer com a ira. Paulo disse: "Quando vocês ficarem irados, não pequem" (Efésios 4.26), ou seja, não há motivos para nos envergonharmos por nos sentirmos frustrados, inseguros ou irados, pois o que realmente importa é o que fazemos com os nossos sentimentos.

Explore os benefícios de ter um diário

Gastar tempo sozinho e ter um diário sem precisarmos editar os nossos pensamentos é outra ótima maneira de descobrir do que precisamos. Sempre inicio o meu diário sem saber o que estou sentindo ou por que estou me sentindo de determinada maneira; mas, quando termino de registrar os meus pensamentos e o que aconteceu durante o dia, consigo descobrir qual é a minha condição e o motivo para isso. Da mesma maneira, sentar com um amigo muito chegado e conversar sobre sentimentos e pensamentos pode ser uma excelente maneira de descobrir o que está acontecendo no nosso coração.

Faça um teste de personalidade

Dois outros grupos de fatores têm bastante peso nos nossos sinais de alerta. O primeiro corresponde aos traços da nossa personalidade. Todos nós temos um tipo de personalidade com pontos fortes e fracos. Quando sabemos quais são os traços da nossa personalidade, podemos descobrir o que nos causa medo e do que precisamos para nos sentir saudáveis e seguros. Entender os nossos medos e as nossas necessidades nos permite dar mais atenção a essas áreas da nossa vida.

Quando cultivamos um estilo de vida que respeita as nossas características naturais (por exemplo, produzimos melhor trabalhando nos bastidores ou ficando em evidência?), é bastante provável que desfrutemos de uma vida mais saudável e feliz. Uma das formas mais fáceis de descobrir quais são os nossos pontos fortes e fracos é fazer um teste, como, por exemplo, o teste de comportamento *DISC* ou o indicador de classificação tipológica Myers-Briggs. Esses testes são desenvolvidos para nos ajudar a descobrir qual é o nosso tipo de personalidade, a fim de nos auxiliar a desenvolver um ambiente saudável tanto interno quanto externo.

Identifique a sua maior necessidade não atendida

O segundo fator que nos ajuda a nos tornarmos autoconscientes é descobrir a área que nos causa dor. Por exemplo, se temos sido cercados por rejeição, então, sem sombra de dúvida, sabemos que a rejeição emite um sinal de alerta. Quando nos sentimos rejeitados e não temos consciência disso, podemos cair no antigo padrão de isolamento que nos derruba.

Em meio aos dias mais negros da traição de Heather, descobri que os meus maiores sinais de alerta eram a insegurança e a solidão. Em um dia, deixei de ser o homem casado com uma esposa linda, para ser o solitário acordando sem ninguém ao meu lado. Algumas manhãs, acordar sozinho parecia ser um jogo cruel que a vida estava me obrigando a jogar. Vagando mentalmente por lugares distantes, eu era capaz de imaginar ela e ele deitados nos braços um do outro, no conforto do lar. E, embora isso até pudesse corresponder à realidade, a verdade é que, antes de sair de casa em uma manhã assim, havia necessidades emocionais gigantes que precisavam ser supridas para que eu ficasse bem.

Sofrer insegurança e solidão para um homem na minha situação é o curso natural; é até esperado. Seria o cúmulo da tolice eu não estar ciente desse tipo de emoção no meu coração. Mas aprendi rapidamente que a solidão e a insegurança não eram minhas amigas, e toda vez que elas tentavam se aproximar, eu as mandava embora por vingança.

Como enfrentar cada sinal de perigo

Não decidimos quem bate à nossa porta, mas podemos escolher deixá-los ou não entrar. Precisamos agir como donos da nossa própria vida e protetores de nosso coração. Escolhemos o nosso humor, ações e crenças; portanto, temos poder suficiente para mudá-los!

Por ser líder de um grupo de pureza para homens, descobri que as maiores recaídas resultam de não reconhecermos a pequena faísca de mágoa até que ela se transforme em um incêndio florestal. Para muitos, o ciclo da ira descontrolada se fizera presente até aquele dia pela incapacidade de descobrir suas necessidades e como supri-las de forma saudável. Precisamos ter um plano para cada sinal de alerta na nossa vida.

Quando eu estava no vale sombrio das minhas circunstâncias, acordava todas as manhãs e me perguntava em voz alta: "Como estou? Do que preciso? Estou ferido, ou o meu coração está bem?". Descobri que separar um tempo para me conhecer a cada manhã é algo que me fazia sentir uma pessoa de valor; e, quando alguma coisa estava errada, ainda que só um pouquinho, eu podia logo lidar com o assunto porque prestava contas para mim mesmo. Quando não conseguia de imediato espantar os sentimentos que me perturbavam, eu sabia que era hora de guerrear. Já havia decidido que sair de casa com qualquer tipo de sinal de alerta acionado pela minha alma seria uma ideia muito ruim.

Existem milhares de maneiras de derrotar sentimentos de insegurança, solidão ou desesperança. No entanto, antes de derrotarmos os inimigos, precisamos encontrar a origem dos problemas no nosso coração, conforme salientamos antes. Existe uma diferença enorme entre *Estou me sentindo inseguro por causa de algo que acabou de acontecer* e *Estou me sentindo inseguro porque não sei que Deus é o meu Pai*. São dois mundos à parte que exigem diferentes tipos de atenção.

Em suma, a forma de nos livrarmos dos sinais de alerta que são a fonte das nossas ações é descobrirmos do que precisamos para só então suprirmos essa necessidade. Quando eu acordava de manhã me sentindo inseguro, ficava horas deitado na cama falando com Deus e escrevendo no meu diário tudo o que o Senhor dizia a meu respeito e como ele me enxergava. Se isso não resolvesse, eu ligava para o meu pai e pedia ajuda.

A insegurança, o medo, a falta de esperança, a depressão e o ódio por nós mesmos estão todos enraizados em mentiras. A Bíblia diz que, quando Timóteo estava lutando contra o medo, seu pai espiritual, Paulo, lhe escreveu: "Pois Deus não nos deu espírito de covardia, mas de poder, de amor e de equilíbrio" (2Timóteo 1.7). O maior trunfo que sempre temos conosco é o poder do Espírito Santo e a Palavra de Deus. Esse poder transforma os nossos medos em paz, e sua Palavra arranca pela raiz as mentiras plantadas no nosso coração.

O MAIOR TRUNFO QUE SEMPRE TEMOS CONOSCO
É O PODER DO ESPÍRITO SANTO E A PALAVRA DE DEUS.
ESSE PODER TRANSFORMA OS NOSSOS MEDOS EM PAZ,
E SUA PALAVRA ARRANCA PELA RAIZ AS
MENTIRAS PLANTADAS NO NOSSO CORAÇÃO.

Só você é capaz de se controlar

O livro de Gálatas nos ensina que autocontrole é um fruto do Espírito Santo presente em nós (v. Gálatas 5.23). Há muitas coisas que queremos e das quais precisamos, mas não alcançaremos, porque não temos controle sobre o mundo ao nosso redor. Na verdade, é apenas pelo poder do Espírito Santo que podemos exercer o autocontrole! Se acreditarmos em qualquer outra verdade além de "Só eu tenho controle sobre mim mesmo", estaremos vivendo em engano. A única pessoa em todo o Planeta capaz de o controlar de maneira saudável é você mesmo. Podemos compartilhar os nossos sentimentos e as nossas necessidades com outras pessoas, mas é delas a escolha de dar ou não atenção a essas necessidades. Tendo isso em mente, precisamos aprender a ser poderosos, independentemente do que os outros nos façam.

Pessoas com mentalidade de vítima enxergam através de lentes que mostram o seguinte: "O mundo está contra mim. Todo mundo tem o que eu deveria ter. Sou sempre deixado de lado". Verificamos se temos a mentalidade de vítima quando esses pensamentos estão sempre presentes em nossa mente. As vítimas sentem que todo mundo tem culpa pelas situações que elas enfrentam. Se as pessoas agissem de outra forma ou as tratassem de outra maneira, a vida seria ótima. A verdade é que, quando nos apegamos a essa mentalidade, somos nós que temos problemas! A boa notícia é que, se temos um problema, podemos consertá-lo (nós, e ninguém mais) com a ajuda de Deus!

Podemos ter pensamentos libertadores

Paulo escreveu aos cristãos de Roma: "E não vos conformeis com este século, mas transformai-vos pela renovação da vossa mente" (Romanos 12.2, *Almeida Revista e Atualizada*). Os cristãos romanos eram ex-politeístas (adoravam muitos deuses); portanto, conformar-se com o mundo significava aceitar a mitologia grega. Paulo ensinou que eles precisavam ser proativos em mudar a maneira de pensar. Às vezes, todos nós precisamos de uma boa lavagem cerebral com a Palavra de Deus (v. Efésios 5.26)!

Está comprovado cientificamente que os nossos hábitos e padrões de pensamentos criam sulcos ou caminhos nos neurotransmissores do nosso cérebro. A nossa crença constrói estradas que facilitam a passagem dos nossos pensamentos por esses caminhos. Pense nisso como se fosse um caminho aberto em meio a uma floresta. É por esse caminho ou padrão de pensamento que temos seguido durante toda a nossa vida. Quando tomamos a decisão consciente de mudar o nosso modo de pensar, tudo o que fazemos é colocar uma placa de "Entrada proibida" naquele caminho. É aqui que o processo de mudança se inicia: precisamos abrir no cérebro um novo caminho que nos leva à inteireza. Assim como serrar árvores em uma floresta densa, abrir um novo caminho é um trabalho árduo! Se não tomarmos cuidado, ficaremos cegos às placas que informam "Entrada proibida", nas entradas dos nossos antigos padrões de pensamento, e começaremos a viajar pela mesma estrada antiga, disfuncional e destrutiva, que é muito familiar para nós e mais fácil de trilhar.

Quando sentimos dor intensa, ficamos motivados a buscar mudanças imediatas, dispostos a fazer o que for necessário para nos livrar do sofrimento, mas, com o passar do tempo e a diminuição da dor, a motivação para ficarmos bem se apaga junto com a dor.

Um dos antídotos para quebrar esse padrão é começar a estabelecer objetivos alcançáveis. Esses objetivos nos motivarão mesmo quando a dor tiver sumido. A sabedoria diz que devemos olhar a vida do fim para o começo. Precisamos corajosamente separar uns minutos para sentar à beira do nosso jazigo e refletir sobre a nossa vida. Como gostaríamos de ser conhecidos? O que gostaríamos de ouvir quando Deus disser o que pensa sobre nós? O que será realmente importante para nós quando estivermos no nosso leito de morte? As respostas a essas perguntas devem ser a motivação da sua vida.

A dor é uma motivação muito fraca e uma conselheira pior ainda. Não podemos viver em função da dor, assim como não podemos navegar em um mar revolto sem bússola. A visão do futuro é a bússola da vida. Seguindo essa visão, continuaremos a atravessar a floresta da mente a fim de criar um caminho para a liberdade muito antes que a dor desapareça. A vida vivida dessa forma será lembrada para sempre!

QUANDO SENTIMOS DOR INTENSA, FICAMOS MOTIVADOS A BUSCAR MUDANÇAS IMEDIATAS, DISPOSTOS A FAZER O QUE FOR NECESSÁRIO PARA NOS LIVRAR DO SOFRIMENTO, MAS, COM O PASSAR DO TEMPO E A DIMINUIÇÃO DA DOR, A MOTIVAÇÃO PARA FICARMOS BEM SE APAGA JUNTO COM A DOR.

CAPÍTULO 11

Você vê o meu íntimo

No início de 2010, um jovem me pediu ajuda. Esse rapaz cresceu na nossa igreja, de modo que eu já o conhecia havia algum tempo. John entrou no meu escritório naquele dia com um aspecto abatido e totalmente sem esperança. Poucas palavras foram suficientes para eu entender o motivo. Ele começou a falar sobre um caso extraconjugal recente, sobre a vergonha de perder a esposa e o tormento que vinha sofrendo nos últimos meses.

Enquanto eu ouvia John explicar o que fizera, uma questão não saía da minha cabeça: *Por que John trairia a esposa com apenas um ano de casado?* Quando fiz a pergunta a ele, tudo ficou mais claro. Por fora, John era um cavalheiro que tinha frequentado a igreja a maior parte da vida. Mas, por dentro, era um calabouço cheio de dragões atormentadores. As primeiras memórias da sua infância eram marcadas pela dor. Seu pai costumava amarrar John e os irmãos em árvores e espancá-los com mangueiras de borracha para dar-lhes alguma lição. O pai de John era frio e sem compaixão, e ensinava aos filhos que o amor verdadeiro se demonstrava com castigo. Nada que John fizesse de bom era o suficiente; e ele nunca tinha ouvido o pai dizer "Eu amo você, filho".

Logo no início da adolescência, John conheceu Jesus em um dos cultos de jovens da igreja. Mas, em vez de isso aliviar sua dor, de certo modo só a fez aumentar. John tinha 12 anos de idade e ansiava receber amor; ali se via parte de um grupo em que todos recebiam exatamente aquilo de que ele tão desesperadamente necessitava. Mas não demorou muito para John perceber que, se aqueles jovens descobrissem o calabouço existente em seu íntimo, fariam o que seu pai tinha feito, ou seja, o rejeitariam. Por não querer correr o risco de ser rejeitado, John aprendeu a arte de esconder o que acontecia no âmago de seu ser. Ele usava inúmeras máscaras, mas nunca deixava transparecer quem realmente era. Era mestre em exibir fachadas do que gostaria de ser, todas elas frutos de sua imaginação.

O tempo foi passando, e a dor só aumentou. John, enganado pela ideia de que as pessoas não o amavam como era, acreditou que amariam a fachada. Sozinho, ele não foi capaz de acabar com a dor, e começou a se entupir de pornografia, na esperança de que, de alguma forma, isso preenchesse sua necessidade de intimidade que nunca havia sido suprida. Mas a dor era como uma ferida inflamada; o calabouço ficou mais sombrio, e os dragões escavaram acusações no fundo de seu coração. Ele só se via como um transgressor — transgressor consigo mesmo e com as mulheres.

> POR NÃO QUERER CORRER O RISCO DE SER REJEITADO, JOHN APRENDEU A ARTE DE ESCONDER O QUE ACONTECIA NO ÂMAGO DE SEU SER. ELE USAVA INÚMERAS MÁSCARAS, MAS NUNCA DEIXAVA TRANSPARECER QUEM REALMENTE ERA.

John continuou a trilhar essa estrada durante toda a adolescência até finalmente conhecer a futura esposa por volta de 20 anos de idade. No início, tudo parecia ótimo. Ela era tudo o que ele sempre desejara. Ele havia passado a vida toda tentando encontrar alguém que o amasse de verdade e a quem pudesse amar. O que poderia dar errado? Não fazia nem um ano que John estava casado quando os dragões começaram a atacar sua mente dizendo que a esposa não o conhecia de verdade, porque ele usava muitas máscaras, e todas elas eram fraudes. O medo de ser descoberto e rejeitado era ainda maior, pois a esposa era uma joia linda e rara. Ele pensava: *Se algum dia ela descobrir quem sou de verdade, jamais será capaz de me amar.*

A pressão crescia dentro dele, e os dragões sussurravam engano após engano em seus ouvidos. Nesse tempo todo, ele continuava tentando enterrar quem era. Não demorou muito para que a falta da verdadeira intimidade e as farsas destruíssem o casamento, deixando-o arrasado. Sozinho e desesperado por ser amado, John voltou ao único lugar onde havia encontrado conforto: recorreu a outra mulher tão ferida e mascarada quanto ele.

Repetindo os pecados do pai

John estava repetindo os pecados do pai. Mas o que John não percebia é que os pecados do pai não foram passados para ele por meio de uma doença genética; sem se dar conta, ele adotara o mesmo sistema de crenças paterno. John nunca havia rompido com esses valores. Agarrara-se com tanta força à mentalidade disfuncional adquirida com os espancamentos sofridos na infância e o amor abusivo recebido até que isso lhe custou tudo o que ele possuía de valor.

A verdade é que John era uma nova criatura em Cristo. As coisas velhas haviam passado, e Deus havia trazido coisas novas para sua vida (2Coríntios 5.17). É comum ouvirmos cristãos se perguntarem: "Se sou uma nova criatura, por que ainda tenho de lidar com questões antigas?". A resposta está na nossa capacidade de submissão por inteiro a Cristo. Jesus disse: "Venham a mim, todos os que estão cansados e sobrecarregados, e eu lhes darei descanso" (Mateus 11.28). A essência do que Cristo disse é: "Venha a mim como você está — cansado, esgotado e sobrecarregado —, e eu irei ao seu encontro".

Muitos cristãos que estão presos no pecado se converteram a Cristo, mas continuam escondendo-se atrás de fachadas, brincando de igreja. As intenções até podem ser boas, mas eles não entendem que Cristo é a saída. E o Senhor não espera que encontremos uma saída sem ele! A verdade é que precisamos de Jesus para sermos vitoriosos! Em outras palavras, se queremos ser libertos, precisamos aproximar-nos de Cristo como estamos. O livro de Efésios faz uma revelação incrível sobre o comportamento do povo santo de Deus:

> Porque outrora vocês eram trevas, mas agora são luz no Senhor. Vivam como filhos da luz, pois o fruto da luz consiste em toda bondade, justiça e verdade; e aprendam a discernir o que é agradável ao Senhor. Não participem das obras infrutíferas das trevas; antes, exponham-nas à luz. Porque aquilo que eles fazem em oculto, até mencionar é vergonhoso. Mas, tudo o que é exposto pela luz torna-se visível, pois a luz torna visíveis todas as coisas. Por isso é que foi dito:
>
> "Desperta, ó tu que dormes,
>   levanta-te dentre os mortos
> e Cristo resplandecerá
>   sobre ti" (Efésios 5.8-14).

Essa é uma passagem poderosa escrita para cristãos. Paulo ensina aqui que não precisamos esconder-nos na escuridão; devemos trazer tudo à luz. Quando nos aproximamos da luz, a nossa mente é despertada dos mortos e nós mesmos nos *tornamos* luz! Mas o que acontece quando nos achegamos a Cristo e ainda assim continuamos a esconder partes de nós nas sombras da escuridão? Essa era a história de John. Desesperado, ele se aproximou de Cristo, desejando sentir algo que nunca havia sentido, necessitado de amor e ansiando ser liberto. Mas abriu apenas alguns cômodos de seu coração para o Senhor, conservando dentro de si os dragões que o assombravam por causa de suas crenças.

As partes do coração que John tinha aberto tornaram-se livres e completas; mas havia um mundo inteiro de escuridão ao qual o Senhor não tinha acesso nem podia curar porque John temia que sua transparência fosse castigada. Portanto, John convidou seus antigos dragões para entrarem em seu lindo palácio na presença de Deus.

O medo da rejeição alimenta os monstros da nossa alma e nos faz escravos da antiga serpente. Se não nos achegarmos a Cristo exatamente como estamos (com a nossa bagagem, prisão e destruição), nunca provaremos do seu amor incondicional. Isso nos dá a impressão de que precisamos ter um bom desempenho a fim de alcançar aceitação. Entretanto, se nos aproximamos de Cristo como estamos, e ele nos ama em meio ao nosso pecado, então a luz do Senhor nos traz cura para todo o sempre. O medo da rejeição e a vergonha que nos mantiveram reféns serão quebrados ao recebermos sua graça maravilhosa e a nova natureza em Cristo.

O MEDO DA REJEIÇÃO ALIMENTA OS MONSTROS DA NOSSA ALMA E NOS FAZ ESCRAVOS DA ANTIGA SERPENTE. SE NÃO NOS APROXIMARMOS DE CRISTO EXATAMENTE COMO ESTAMOS (COM A NOSSA BAGAGEM, PRISÃO E DESTRUIÇÃO), NUNCA PROVAREMOS DO SEU AMOR INCONDICIONAL.

Intimidade original

Como todos nós, John estava sedento por um relacionamento íntimo com Deus, no entanto a vergonha o mantinha aprisionado ao jardim com a serpente, algo muito parecido com o que ocorreu aos nossos primeiros pais. Todos conhecemos a história de Adão e Eva e da sagaz serpente que introduziu o pecado no mundo.

Vamos fazer uma viagem de volta ao jardim do Éden, o lugar onde tudo começou, e tentar descobrir as verdadeiras raízes da intimidade.

A história começa com Deus criando o homem e a mulher e, depois, ordenando-lhes que crescessem, multiplicassem e dominassem a terra (v. Gênesis 1.26-28). Esses versículos podem soar um tanto desconcertantes porque alguns creem que em Gênesis 1 Deus está se referindo a Adão (Adão é a palavra em hebraico para homem ou humanidade), incluindo tanto macho quanto fêmea, mas Eva não havia entrado em cena ainda. Na verdade, Gênesis 1 nos dá um panorama de como Deus criou a humanidade, macho e fêmea, enquanto Gênesis 2 nos dá uma visão mais próxima de como e por que Deus criou Adão, o primeiro homem e, depois, projetou Eva para ser o par perfeito de Adão.

Entendo que a história da criação em Gênesis 1—2 pode ser interpretada de várias maneiras. Uma ideia é que Deus criou Adão com as partes de macho e fêmea (algo estranho de imaginar, eu sei). Outra explicação é que Deus criou um Adão macho e um Adão fêmea. É interessante notar aqui que a palavra hebraica para "fêmea" não é a mesma para "mulher". Por exemplo, é apropriado dizer que um animal é macho ou fêmea, mas não podemos afirmar que um animal fêmea seja uma mulher. Outra possibilidade é que o primeiro homem, Adão, foi criado contendo apenas o elemento masculino em si, e Deus criou a parte feminina quando projetou a mulher para ser o par perfeito para Adão.

O ponto de vista mais comum sobre a história da criação é que Gênesis 1 é o resumo da criação do mundo, enquanto Gênesis 2 contém os detalhes de como Deus criou o homem e a mulher e os colocou no mundo. O estranho nessa explicação é que ela deixa Adão procurando uma companheira idônea entre os animais. Em outras palavras, se o plano original de Deus para Adão era que ele crescesse, multiplicasse e dominasse a terra, então não faz sentido ele ter sido posto no jardim sem a capacidade de procriar. E certamente ele não estava procurando um animal com quem pudesse fazer isso. Deus deixou claro desde o início da criação que cada animal e cada planta só deveriam reproduzir "de acordo com as suas espécies" (Gênesis 1.24). Por essas razões, fica claro em Gênesis 2 que o Senhor queria que Adão descobrisse que não havia companheira idônea para ele entre os animais a fim de que desejasse o que Deus já tinha em mente, uma parceira igual a ele, com quem Adão serviria a Deus, ao crescerem, multiplicarem e governarem a terra, como servos-líderes no mundo.

Tudo bem, podemos agora perguntar qual o motivo de gastarmos tanto tempo falando sobre a criação. Como a criação do homem e da mulher nos dá clareza sobre as raízes da intimidade? Bem, essa é uma ótima pergunta. A resposta está no projeto original do homem. Adão foi criado para precisar de Deus. Sem Deus, Adão ficaria incompleto e solitário. Quando Deus visitava o jardim do Éden no frescor do dia, Adão se sentia completo, feliz e realizado. Mas, quando Deus saía de perto, Adão ficava incompleto. Adão precisava de uma auxiliadora idônea (v. Gênesis 2.18).

A palavra hebraica para "auxiliadora" é *ezer*. É usada 19 vezes no Antigo Testamento: 3 vezes para mulher e 16 vezes para Deus. Em outras palavras, Deus não estava à procura de alguém com quem Adão pudesse procriar. Ele buscava alguém que pudesse ser tão íntimo de Adão quanto ele mesmo o era. Deus resolveu o dilema fazendo o homem cair em sono profundo e criando a mulher do próprio corpo. Deus literalmente partiu Adão ao meio para que ele ficasse incompleto sem a mulher. A necessidade que Adão tinha de ser completado por sua mulher era tão grande que logo se profetizou: "Por essa razão, o homem deixará pai e mãe e se unirá à sua mulher, e eles se tornarão uma só carne" (Gênesis 2.24).

Adão e Eva desfrutavam de uma vida tranquila. Andavam com o Senhor no frescor da manhã e imagino que à noite eles deitavam na grama no crepúsculo e observavam as estrelas no céu. Mas, infelizmente, a vida de paz e intimidade com Deus e um com o outro não durou muito. Eles desobedeceram a Deus ao obedecerem ao Diabo. Isso os levou a comerem o fruto da única árvore proibida por Deus em todo o jardim. Para encurtar a história, depois de pecar pela primeira vez, Adão e Eva perceberam que estavam nus e se esconderam do Senhor, cobrindo-se com folhas de figueira. Pouco tempo depois, foram expulsos do jardim e deixados à própria sorte em meio aos animais selvagens.

Por que nos escondemos

Quero trazer algumas coisas à luz nessa história. Quando o pecado entra na nossa vida, começamos a nos esconder, como fizeram Adão e Eva. Uma vez que o pecado se aloja em nós, começa a danificar a parte mais importante da nossa vida: *a intimidade com Deus e com as pessoas*. O dia em que Adão e Eva caíram representou a primeira ocasião em que eles não se sentiram aceitos por estarem nus. O nível de intimidade com Deus foi severamente afetado pelo pecado que se alojou dentro deles. E, desde então, o maior ataque à humanidade tem sido no sentido de isolar e sufocar a intimidade na nossa vida.

No meio cristão, é comum escutarmos pessoas dizendo: "Deus é tudo de que precisamos". Bem, até certo ponto, entendo o que elas estão tentando dizer; mas a verdade sobre precisarmos de Deus vai muito além disso! O próprio Deus criou Eva para ser parceira de Adão. Quando não nos permitimos ter pessoas na nossa vida, ficamos anêmicos, sedentos por afeição. Como já mencionei, Deus é a nossa fonte de amor, identidade, segurança, proteção, provisão e também o nosso futuro. Entretanto, o papel que as pessoas desempenham na nossa vida é o de colaboradores.

As pessoas são a nossa fonte de companheirismo, dão-nos uma sensação de pertencermos a um grupo, de sermos conhecidos e entendidos, de termos parceria, diversão e muitas outras coisas. As pessoas também trazem inspiração para a nossa vida; elas nos lembram de quem somos e permanecem ao nosso lado nos momentos mais difíceis. Não fomos criados para viver sozinhos, ou para precisarmos apenas de Deus. Ele nos criou para vivermos em unidade com ele e com outros seres humanos.

Definindo a verdadeira intimidade

A intimidade pode ser definida como "você vê o meu íntimo". É a habilidade de nos abrirmos e deixarmos as pessoas à nossa volta saberem o que realmente pensamos, sentimos e vemos. Intimidade não significa apenas expressar emoções, mas de entregar o nosso coração para as pessoas que mais amamos. É nesse estado de vulnerabilidade que recebemos a plenitude do amor.

Neste capítulo, conversamos sobre nos aproximar de Deus como estamos, a fim de recebermos das mãos dele o amor divino por nós. O mesmo princípio se aplica às pessoas: se mostrarmos a alguém o que está no nosso coração, seja o que for, e essa pessoa nos amar e nos aceitar, então experimentaremos amor incondicional, o tipo de amor que Deus tem por nós.

Sem intimidade, não conseguimos ter as nossas necessidades supridas de jeito nenhum. Esse era o dilema de John. Ele jamais poderia se sentir amado e aceito pelas pessoas ao redor, porque nunca tinha sido transparente com elas. A falta de transparência nos aprisiona em paredes de vidro e nos isolam da afeição de que tão desesperadamente necessitamos.

> INTIMIDADE NÃO SIGNIFICA APENAS EXPRESSAR EMOÇÕES, MAS ENTREGAR O NOSSO CORAÇÃO PARA AS PESSOAS QUE MAIS AMAMOS. É NESSE ESTADO DE VULNERABILIDADE QUE RECEBEMOS A PLENITUDE DO AMOR.

Falsa intimidade

Eu estava dando aula de discipulado algum tempo atrás. Durante uma das sessões de Perguntas & Respostas, um aluno indagou: "Se você pudesse doar alguma coisa ao mundo, o que doaria?". Depois de pensar por um tempo, respondi: "Se eu pudesse doar algo ao mundo, daria a todos capacidade de viver uma vida de intimidade".

O mundo está sedento para ser conhecido e amado. Por isso a pornografia e a prostituição são as duas maiores indústrias no mundo. A pornografia é uma falsa forma de intimidade. Descobri que a maioria dos aconselhados que lutava contra a pornografia tinha enorme dificuldade de estabelecer intimidade. A pornografia oferece um sentimento momentâneo de ser conhecido e de estar vulnerável sem correr o risco da rejeição. A indústria continua a crescer por causa da falta de entendimento e inaptidão de reverter o dano que as gerações anteriores causaram.

Nas décadas de 1960 e 1970, o mundo se revoltou contra uma sociedade que lhe havia forçado a seguir as "regras". Os jovens estavam cansados de tradição e religião; queriam algo verdadeiro. O mundo gritava músicas de protesto cantando: *All we need is love* [Amor é tudo de que precisamos]. O amor livre se tornou o lema da época. Jovens em todo o mundo adotaram um estilo de vida com muitas festas, sempre buscando explorar a liberdade. As regras limitadoras das décadas de 1940 e 1950 tinham deixado a nova geração sedenta por liberdade, amor e aceitação incondicional. Entretanto, o amor e a aceitação que a humanidade tentou criar ao longo dessas duas décadas só deixaram as pessoas mais confusas e feridas que antes.

> O MUNDO ESTÁ SEDENTO PARA SER CONHECIDO E AMADO.
> POR ISSO A PORNOGRAFIA E A PROSTITUIÇÃO SÃO
> AS DUAS MAIORES INDÚSTRIAS NO MUNDO. A PORNOGRAFIA
> É UMA FALSA FORMA DE INTIMIDADE.

Entregar a nossa parte mais visível a qualquer um que a deseje, no final das contas, só nos faz mal.

Níveis apropriados de intimidade

Embora as necessidades dos *baby boomers*, aqueles nascidos entre 1945 e 1964, fossem válidas, as táticas daquela época eram prejudiciais. O que eles não levaram em consideração é que existem diferentes níveis de intimidade; e a intimidade não deve ser compartilhada com qualquer um.

Essa é a única maneira pela qual a intimidade permanece valiosa, e nós permanecemos protegidos. O nível de intimidade que temos com uma pessoa sempre deveria condizer com o nosso nível de comprometimento. Por exemplo, em um namoro, é comum que os casais se beijem, deem uns amassos e até mantenham relações sexuais muito antes de terem assumido algum tipo de compromisso mútuo. É possível imaginar o que acontece se nos entregamos a alguém e, no dia seguinte, a pessoa nos dispensa. A única lembrança que carregamos é a dor de um coração partido.

Como as pessoas não sabem estabelecer os limites da intimidade, ela se tornou algo perigoso. Nos relacionamentos, seja com um amigo seja com uma amiga, certifique-se sempre de que o seu compromisso condiz com o seu nível de intimidade.

Aquilo que sustenta a intimidade

A confiança é o alicerce da verdadeira intimidade. Ela é construída por meio da coerência, na certeza de que a outra pessoa se preocupa com o seu bem-estar. A confiança não é construída pela ausência de erros, mas por saber pedir perdão. Há apenas uma pessoa que é perfeita neste mundo, de modo que é bom saber que cometemos erros nos relacionamentos. Entretanto, se tratarmos os nossos erros com honra e integridade, na verdade aumentaremos a confiança nos relacionamentos.

Certa vez, li um livro sobre negócios em que o autor tinha feito pesquisas sobre esse tópico. Ele entrevistou clientes de todas as partes dos Estados Unidos, dividindo-os em três categorias: a primeira era de pessoas que tinham feito negócios com determinada empresa e nunca haviam enfrentado problemas com ela. O segundo grupo era formado por clientes que tiveram problemas com a empresa, mas a negociação fora resolvida de forma satisfatória. O terceiro grupo consistia em clientes que haviam tido problemas com determinada empresa, mas o dilema não foi resolvido. Por incrível que pareça, o autor descobriu em sua pesquisa que os clientes mais leais eram os que tinham tido problemas com a empresa, mas alcançado uma resolução satisfatória das pendências.

Se aprendermos a lidar com as pendências e acertamos as contas com as pessoas, construiremos relacionamentos leais, confiáveis e íntimos.

Treinamento tático para intimidade

O medo da intimidade não desaparece sozinho. Não acordamos um dia prontos para compartilhar com as pessoas ao redor o que temos de mais profundo no nosso coração. No entanto, descobri que, se aprendermos a nos comunicar bem, poderemos combater o medo que com frequência sentimos dos relacionamentos íntimos.

É como alguém se alistar no Exército e, no dia seguinte, ser jogado no calor de uma batalha. Qualquer um ficaria apavorado. Só de pensar em realizar uma manobra estratégica ou sair da trincheira seria aterrorizante. Entretanto, se a pessoa fosse treinada em táticas militares por vários meses, estaria pronta para a batalha. Sem experiência em guerra, qualquer um teria medo, mas as habilidades adquiridas durante o treinamento ajudariam muito a substituir o medo pela confiança.

> SE APRENDERMOS A NOS COMUNICAR BEM, PODEREMOS COMBATER O MEDO QUE COM FREQUÊNCIA SENTIMOS DOS RELACIONAMENTOS ÍNTIMOS.

Desenvolver uma boa comunicação é o primeiro passo para vencermos o medo da intimidade. Aprender a articular o que se passa dentro de nós é particularmente importante quando nada acontece como o planejado. Falaremos mais sobre comunicação no capítulo seguinte. Recomendo que você pratique sua capacidade de comunicação com pessoas próximas. Quando você está nos primeiros estágios de superar a dor, não é hora de sair e pôr em prática suas novas habilidades de comunicação com pessoas aleatórias. Você precisa encontrar alguém ou um grupo pequeno, como a célula de uma igreja, que o possa ajudar a trilhar esse novo estilo de vida de transparência. Você descobrirá que mais pessoas do que imagina já passaram pela dor da quebra de confiança, da traição e dos relacionamentos não saudáveis. Ainda assim, à medida que você aprender a viver uma vida vitoriosa, a sua descoberta também ajudará os outros com quem você se relacionar!

CAPÍTULO 12

Um novo padrão

Se eu (Kris) for sincero comigo mesmo, algo dentro de mim, na verdade algo dentro de cada um de nós, diz: "A pessoa que apronta deve ser castigada!". Um dos problemas nessa maneira de pensar é que começamos a definir as pessoas por seus erros, em vez de por sua criação original. A pessoa que mente passa a ser vista como mentirosa, a pessoa que bebe passa a ser rotulada de alcoólatra. Prostitutas, adúlteros, viciados em pornografia, assassinos são pseudônimos usados para demonstrar que enxergamos as pessoas pelos pecados cometidos, em vez de olharmos para elas pelas lentes da projeção divina.

O segundo problema é que associamos os pecados dos outros à identidade deles, ou tachamos alguém por uma pior atitude e nos sentimos justos ao puni-lo. Por exemplo, na igreja, com certeza já ouvimos as pessoas se referirem a alguém como "Jezabel" ou "Judas". A partir do momento em que chamamos alguém pelo nome de um inimigo, isso significa que não queremos reconciliar-nos com essa pessoa. Ao contrário, acabamos por nos posicionar de tal forma que excluímos o indivíduo do nosso círculo de relacionamento. Os laços de amor são deixados de lado, e as armas de guerra são colocadas sobre a mesa da amizade.

Criando uma cultura de recompensas

A prática de nomear as pessoas de acordo com suas falhas cria uma cultura em que as regras substituem o relacionamento, e a justiça esmaga o amor. A ideia de estar certo se torna mais importante que a de estar juntos.

Se examinarmos minuciosamente grande parte dos sistemas sociais, encontraremos estruturas preparadas para punir as pessoas. Criamos uma sociedade baseada em regras, em vez de fundamentada no amor. "Redenção", "reconciliação" e "recompensa" são de modo geral palavras consideradas vazias na nossa cultura. Por exemplo, quando percebemos um carro de polícia nos seguindo, é normal que olhemos primeiro para o velocímetro para ter certeza de que não estamos correndo demais, pois sabemos que o policial é encarregado de buscar algo de errado em nós, não algo certo.

Conseguimos imaginar um mundo no qual os policias fossem encarregados de recompensar as pessoas pelas conquistas como parte principal de seu trabalho? Poderia parecer algo assim: ao olhar pelo retrovisor, você vê um policial com a sirene ligada. Você checa o velocímetro para ter certeza de que está dirigindo bem abaixo do limite de velocidade. Uma grande euforia começa a brotar no seu íntimo, e você para o carro no acostamento. O policial vai até a janela do motorista sorrindo e diz: "Já estou seguindo você por alguns quilômetros e observei como está dirigindo com segurança e educação. Aqui estão dois ingressos para assistir ao vivo à final do campeonato; divirta-se".

SE EXAMINARMOS MINUCIOSAMENTE GRANDE PARTE DOS SISTEMAS SOCIAIS, ENCONTRAREMOS ESTRUTURAS PREPARADAS PARA PUNIR AS PESSOAS. CRIAMOS UMA SOCIEDADE BASEADA EM REGRAS, EM VEZ DE FUNDAMENTADA NO AMOR.

Esse exemplo parece um pouco maluco, mas bem-vindos ao mundo dos neurônios pensantes! Quando recebemos Cristo, fomos transferidos do mundo das trevas para o Reino de Deus. Deixamos para trás a cultura do castigo e avançamos para o novo mundo das recompensas. O Senhor reiterou essa verdade várias vezes na Bíblia, dizendo: "Eis que venho em breve! A minha recompensa está comigo, e eu retribuirei a cada um de acordo com o que fez" (Apocalipse 22.12).

E quanto à redenção?

O espírito religioso prefere proteger as regras a proteger os relacionamentos. O Novo Testamento relata que os fariseus acusaram Jesus de quebrar as regras por curar alguém no sábado. Isso abalou as estruturas dos fariseus, a quem Jesus respondeu da seguinte maneira: "O sábado foi feito por causa do homem, e não o homem por causa do sábado" (Marcos 2.27).

As regras, as leis e a política devem sempre servir aos propósitos redentores de Deus. A partir do momento em que a sociedade exige que sirvamos às regras e que estas são mais importantes do que servirmos às pessoas, a crucificação será sempre o resultado. O sistema americano de prisão tornou-se, em vários sentidos, um exemplo da cultura da punição, não da redenção. O objetivo de quase todo o sistema de justiça é punir os criminosos, não reabilitá-los.

Quero deixar bem claro aqui que, quando as pessoas não conseguem controlar-se internamente, a sociedade é obrigada a controlá-las externamente para que se mantenha salva e saudável. Contudo, quando tomamos a atitude de julgar as pessoas pelos pecados cometidos, perdemos a visão do papel original da sociedade — redimir e restaurar as pessoas. Se acreditamos que os pecadores devem ser punidos, não redimidos, e que o pecado exige separação, criamos uma civilização disfuncional. Está claro que as estruturas de punição são sempre criadas na ausência de consciência a respeito da nossa própria necessidade pela redenção e perdão de Deus. Para mim, é estranho que pessoas tão necessitadas de misericórdia possam ser tão críticas e intolerantes.

Renovando a confiança

Um dos desafios mais significativos para construir uma sociedade redimida é descobrir como podemos contribuir, de fato, para que as pessoas renovem a confiança e restaurem os relacionamentos. Estamos todos conscientes de que, sem a intervenção sobrenatural de Deus, a mudança sempre significa um processo difícil que pressupõe uma quantidade relevante de tempo e paciência. Com certeza, não temos condições de transformar outra pessoa, mas podemos proporcionar um ambiente que estimule o processo de redenção daqueles que se encontram no meio dessa metamorfose.

Tenho um amigo que é um grande exemplo de alguém que trouxe o pecado para dentro do lar em razão de ter passado quarenta anos da vida viciado em pornografia, mas, posteriormente, teve com Deus um encontro que o capacitou a mudar. Como você pode imaginar, ele enfrentou grande resistência por parte da família, que, apesar de ansiar desesperadamente por sua mudança, tinha dificuldades em confiar nele novamente. Pelo fato de o pecado penetrar de forma tão profunda na vida das pessoas, a primeira reação com a qual um indivíduo depara no caminho rumo à restauração está fundamentada no medo. Por muito tempo, os familiares desse meu amigo buscaram formas de fazer que aquele comportamento nocivo não destruísse a todos. Dessa forma, cada membro da família construiu seu próprio sistema de defesa contra a dor que ele havia provocado, de modo que cada um conseguisse sobreviver no ambiente por ele criado. Mas é aqui que a coisa fica complicada: o meu amigo não estava mais vivendo em pecado nem causando dor em seu lar, mas, porque agiu assim por tanto tempo e machucou tão intensamente sua esposa e seus filhos, a antiga maneira de viver acabou impregnando o pensamento deles.

É compreensível que, com o passar do tempo, a esposa do meu amigo tenha assumido o papel de quem se acha no direito de castigar o marido e punir cada um de seus pecados, e seus filhos tornaram-se distantes. Mas ele não é mais aquele homem que eles conheciam. O que fazer agora? A esposa continua a puni-lo, e os filhos permanecem distantes, apesar da mudança de coração e do completo arrependimento.

Essas são circunstâncias que levam a maioria das pessoas a concluir que a mudança é demasiadamente difícil e a faz acomodar-se no conforto de seus antigos padrões: meu amigo sentia-se impotente, paralisado pela atitude punitiva da esposa; e a esposa lançava incessantemente sobre os ombros dele um fardo pesado, mantendo-se na posição de vítima. Para o meu amigo transformar essa dinâmica, terá de aprender a se amar e se perdoar, bem como estabelecer um novo padrão em seu próprio lar.

A visão de Deus sobre a restauração

No livro de 2Samuel 11—12, deparamos com a mais incrível apresentação do caráter de Deus diante do fracasso humano. Todos nós gostamos de refletir sobre as histórias heroicas do rei Davi, que, sem usar nenhuma arma, matou um urso e um leão, e também derrotou um gigante com uma funda e uma única pedrinha. Davi causa inveja a qualquer jovem. Ainda assim, o homem segundo o coração de Deus cometeu adultério e assassinou seu amigo! Não sei se está você familiarizado com a história, mas os fatos se passaram mais ou menos assim.

Num tempo em que os reis costumavam sair para a guerra, Davi permaneceu em casa. Esse foi seu primeiro grande erro.

O lugar mais seguro no mundo onde estarmos é o centro da vontade de Deus. Estamos mais seguros em um campo de batalha com Deus que em uma fortaleza por nossa própria conta. De qualquer forma, certo dia, Davi decidiu dar uma volta pelo terraço de seu palácio, de onde avistou uma mulher se banhando. Como estava entediado, Davi enviou mensageiros para que trouxessem a mulher até ele. O romance espalhou-se pelo ar enquanto Davi mantinha relações sexuais com a esposa de um de seus melhores amigos.

Alguns meses se passaram até que Bate-Seba contasse a Davi sobre sua gravidez, sob o risco de exposição total do adultério cometido. Em pânico, Davi mandou que o marido dela, Urias, retornasse do campo de batalha imediatamente, imaginando que, se o marido não tivesse relações sexuais com a esposa, seu próprio relacionamento adúltero com Bate-Seba seria descoberto.

Para resumir a história, Urias retornou do campo de batalha e, por fidelidade aos companheiros de armas que ainda permaneciam longe da família e passavam a noite no chão duro, recusou-se a dormir com a esposa, a despeito de todo o esforço contrário do rei. Frustrado e apavorado, Davi mandou Urias de volta ao campo de batalha, junto com sua própria sentença de morte. Por intermédio de Urias, Davi enviou uma carta instruindo Joabe, seu comandante, a posicionar Urias na linha de frente e retroceder, de forma que ele terminasse morto.

Um homem honrado e corajoso pereceu naquele dia na batalha contra o pecado. Quando Bate-Seba recebeu a notícia do falecimento de seu marido, lamentou-o por alguns dias. Depois do luto, casou-se com o rei e passou a morar no palácio. Estou convencido de que Davi preferiria que nada disso tivesse acontecido. No entanto, como as más notícias ainda não tinham chegado ao fim, Bate-Seba perdeu seu primeiro filho. Após prantear a morte da criança, Davi consolou sua esposa, que concebeu e deu à luz um menino, o sucessor de Davi. Eles foram instruídos por Deus a dar-lhe o nome de Salomão.

Essa história demonstra a natureza redentora de Deus. A vida de Davi é um retrato de tragédia e triunfo. Em minha opinião, porém, a parte mais linda do relato é a incrível capacidade divina de transformar uma situação horrível a ponto de ter seu propósito real cumprido. Salomão, um dos maiores reis da história de Israel, nasceu de pais que praticaram adultério e descende de um pai que cometeu assassinato. Ainda mais profundo que isso, o rei Davi é citado na linhagem de Jesus Cristo (v. Mateus 1.1; 9.27; 20.30; Marcos 10.47; 12.35; Lucas 6.3; 18.38; 2Timóteo 2.8; Apocalipse 22.16).

A vida do rei Davi se assemelha a uma novela; todavia, em suas páginas, há esperança para todos aqueles que fracassaram enormemente e vivem uma vida de pesar. Para todos nós que, como Davi, tomamos decisões equivocadas que acabaram prejudicando outros, é necessário registrar que jamais atingiremos um abismo tão profundo do qual Deus não nos possa resgatar, nem tropeçaremos tão repentinamente que o Senhor não tenha tempo de nos segurar, e tampouco cairemos de modo tão trágico a ponto de Deus não ser capaz de recompor a nossa vida estilhaçada.

Para nós que fomos alvos das decisões equivocadas de outras pessoas, essa história revela o coração de Deus para com aqueles que nos arruinaram. Mesmo quando o mais misericordioso dos seres humanos tiver desistido de lutar, o Senhor está lá, estendendo suas mãos de misericórdia e graça para pessoas como nós, que não as merecem.

PARA TODOS NÓS QUE, COMO DAVI, TOMAMOS DECISÕES EQUIVOCADAS QUE ACABARAM PREJUDICANDO OUTROS, É NECESSÁRIO REGISTRAR QUE JAMAIS ATINGIREMOS UM ABISMO TÃO PROFUNDO DO QUAL DEUS NÃO NOS POSSA RESGATAR.

Isso não significa dizer "Tudo bem" para aqueles que vivem de modo egoísta, destruindo a vida dos outros à sua volta. O pecado pode esquartejar a alma de um ser humano. Da mesma forma que Bate-Seba sofreu a perda de seu primeiro filho, o pecado não confessado, de forma gradual, mas persistente, destrói a vida do pecador. (Permita-me esclarecer que perder um bebê ou um ente querido não significa que você tenha pecado. Todos nós sabemos que coisas ruins acontecem com pessoas realmente boas).

O drama de Pedro

Muitos de nós não conseguimos identificar-nos com a vida de um homem como o rei Davi. Somos tímidos demais para nos comparar com um matador de gigantes, modestos demais para estar envolvidos com a realeza ou apenas nos falta a paixão para deixar um legado que nos identifique como uma pessoa segundo o coração de Deus. Somos pessoas simples, que tropeçamos pela vida, falamos na hora errada e, aparentemente, nunca conseguimos dar a resposta certa. O nosso padrão é sermos impetuosos, impacientes e falastrões. Para nós, não existem palácios, nem bens exuberantes, tampouco célebres conquistas. O talher de prata da nossa juventude era uma colher de madeira. Nunca fomos o aluno preferido do professor, o escolhido do treinador nem mesmo o melhor atleta. Nunca fomos ao baile com a rainha da festa, não vencemos um concurso de beleza nem recebemos um prêmio de destaque.

Somos pessoas comuns. O mundo está repleto de gente como nós. Os nossos heróis são a "zebra" do campeonato e os azarões. Pertencemos à equipe dos fracos e oprimidos.

O MUNDO ESTÁ REPLETO DE GENTE COMO NÓS. OS NOSSOS HERÓIS SÃO A "ZEBRA" DO CAMPEONATO E OS AZARÕES. PERTENCEMOS À EQUIPE DOS FRACOS E OPRIMIDOS.

Bem-vindos à vida de Pedro.

Desde o início de sua história, Pedro se revela um completo desajeitado. Ele personifica a definição daquele que é desengonçado na vida social e disfuncional na vida espiritual. Ainda assim, porém, Jesus amava Pedro e, pacientemente, o suportava. Jesus confrontou a estupidez de Pedro ao revelar-lhe o futuro.

De forma distinta de Davi, Pedro não era um guerreiro corajoso. Quando uma menina o confrontou sobre ele ser um dos discípulos de Cristo, um pouco antes da crucificação, Pedro negou até mesmo conhecer Jesus. Mas aquela foi apenas uma das três vezes em que Pedro negou conhecer Cristo naquela noite de covardia. A maioria de nós encararia isso como um pecado imperdoável. Segundo os nossos padrões, provavelmente diríamos que Pedro havia perdido a fé e que jamais seria digno de confiança novamente. Mas Jesus tinha outros planos para Pedro. Observe o diálogo:

> Depois de comerem, Jesus perguntou a Simão Pedro: "Simão, filho de João, você me ama mais do que estes?"
>
> Disse ele: "Sim, Senhor, tu sabes que te amo".
>
> Disse Jesus: "Cuide dos meus cordeiros".
>
> Novamente Jesus disse: "Simão, filho de João, você me ama?"
>
> Ele respondeu: "Sim, Senhor, tu sabes que te amo".
>
> Disse Jesus: "Pastoreie as minhas ovelhas".
>
> Pela terceira vez, ele lhe disse: "Simão, filho de João, você me ama?"
>
> Pedro ficou magoado por Jesus lhe ter perguntado pela terceira vez "Você me ama?" e lhe disse: "Senhor, tu sabes todas as coisas e sabes que te amo".
>
> Disse-lhe Jesus: "Cuide das minhas ovelhas"
>
> (João 21.15-17).

O que Cristo quis dizer com esse diálogo? Lembre-se de que Pedro havia negado Jesus três vezes. Jesus estava proporcionando a Pedro a chance de se arrepender de cada uma das vezes em que o havia negado! Também estava dizendo a Pedro: "Você protegerá o que há de mais importante para mim? Você protegerá aquilo que guardo no meu coração?".

Você talvez pense que Cristo poderia ter dito: "Pedro, seus princípios estão apodrecidos. Não posso edificar uma igreja com líderes como você". Ou talvez algo como: "Você precisa de um ano sabático, umas férias, para certificar-se de que seu compromisso comigo é sério". No entanto, Jesus disse: "E eu lhe digo que você é Pedro, e sobre esta pedra edificarei a minha igreja, e as portas do Hades não poderão vencê-la" (Mateus 16.18). Ele enfatizou que Pedro fora aprovado aos olhos de Cristo.

O drama de Paulo

Um exemplo ainda maior da abundante graça de Deus é a história do apóstolo Paulo, descrita no livro de Atos. Sem nos aprofundarmos muito em detalhes, antes de ser salvo, o apóstolo Paulo era um pesadelo para o mundo cristão, matando aqueles que pregavam as boas-novas de Jesus Cristo. Paulo teve um encontro com o Senhor enquanto era ainda assassino. E foi completamente liberto de seu passado, tornando-se o maior apóstolo da História (conforme Atos 9). Escreveu mais da metade do Novo Testamento, e sua vida representa um monumento do poder redentor de Cristo.

O perfeito amor expulsa o medo

Muito bem, a esta altura já deve ter percebido que Deus não está tentando punir você pelos seus pecados. Na verdade, a graça do Senhor o restaura aos padrões de glória que pertencem à Noiva de Cristo. Mas, para que o relacionamento seja saudável, não pode haver medo de punição. Enquanto você tiver medo de ser punido, o amor estará ausente do relacionamento. A Bíblia ensina que "no amor não há medo; ao contrário o perfeito amor expulsa o medo, porque o medo supõe castigo. Aquele que tem medo não está aperfeiçoado no amor" (1João 4.18)! Se isso é verdade, é também verdade que "o perfeito medo expulsa o amor".

Retornemos à questão do início deste capítulo sobre aquele meu amigo que sofreu por ser viciado em pornografia. O que um homem pode fazer depois de causar tanto sofrimento a si mesmo e à sua família? Há apenas uma coisa capaz de restaurar o relacionamento: um novo padrão de amor criado por meio do verdadeiro arrependimento. Se o seu cônjuge se comporta como alguém que acredita ter o direito de o punir o tempo todo e se você realmente se arrependeu, não é correto permitir que ele continue a castigar você!

Eis um exemplo da minha própria vida. Lembro-me de uma ocasião em que os nossos filhos já eram todos adolescentes. Fiquei enfurecido com Kathy na frente deles e acabei tratando-a com desrespeito. No dia seguinte, reuni as crianças na sala de estar e pedi a Kathy e a cada uma das crianças que me perdoassem. Todos me perdoaram, e cada um de nós seguiu em suas atividades do dia. Depois de uma semana, um dos nossos filhos foi até a cozinha e começou a falar com Kathy de forma sarcástica. Fui até lá e disse que ele não tinha permissão para falar daquele jeito com a mãe.

Ele replicou: "Você mesmo foi grosseiro com a mamãe há alguns dias!".

Respondi-lhe que isso era verdade, mas ele mesmo me perdoara. O perdão restaura o padrão. Quando ele me perdoou, abriu mão do direito de agir da mesma forma porque o seu perdão me restaurou ao lugar de honra. Eu me arrependi. Arrependimento significa ser restaurado ao topo e ficar lá em cima.

> SE O SEU CÔNJUGE SE COMPORTA COMO ALGUÉM QUE ACREDITA TER O DIREITO DE O PUNIR O TEMPO TODO E SE VOCÊ REALMENTE SE ARREPENDEU, NÃO É CORRETO PERMITIR QUE ELE CONTINUE A CASTIGAR VOCÊ!

O meu filho se desculpou com a mãe, e ela o perdoou.

Se não compreendermos esse princípio, então a coisa mais insignificante, o erro mais terrível ou a atitude mais estúpida que já tomamos se transformam no modelo a ser imitado pelos outros quando tratarem conosco. Por exemplo, se você foi imoral na adolescência e agora tem filhos adolescentes, não terá segurança para corrigi-los pelas opções sexuais ruins que fizerem porque você mesmo fracassou nessa área.

Os fracassos dos quais nos arrependemos não representam mais o padrão diante do qual devemos nos curvar. Quando pedimos a Deus e àqueles que amamos que nos perdoem, somos restabelecidos ao alto padrão que Deus escolheu para nós. Se não fosse assim, transformaríamos o pior dia da nossa vida no melhor exemplo de comportamento. A verdade é que o perdão restaura o padrão de santidade em nós e por nós.

Assuntos do coração

Em Salmos 32.8, lemos: "Instruir-te-ei e ensinar-te-ei o caminho que deves seguir; guiar-te-ei com os meus olhos" (*Almeida Revista e Corrigida*). Esta é uma declaração poderosa do Todo-poderoso. Você já parou para pensar na razão por que faz as coisas que faz? Por que você serve ao Senhor e vive uma vida de acordo com certos padrões? Seria por causa da retórica que tem sido ministrada a você de forma tão massacrante desde a infância? Ou por que os livros e filmes da série *Deixados para trás* realmente o impressionaram, e você não quer acabar abandonado e sozinho para lutar contra os enlouquecidos zumbis?

Se a sua motivação para servir ao Senhor e entregar a ele a sua vida for qualquer coisa diferente de amor, você já errou o alvo. Jesus disse: "Muitos me dirão naquele dia: 'Senhor, Senhor, não profetizamos em teu nome? Em teu nome não expulsamos demônios e não realizamos muitos milagres?" (Mateus 7.22,23). Por que Jesus não os conhecia? O motivo era que, apesar de serem a favor de Deus, eles não estavam com Deus. Alguém disse certa vez: "O mais importante é manter o mais importante como o mais importante!".

E o que isso tem que ver com restauração de relacionamentos? Às vezes, os nossos relacionamentos íntimos estão focados em fazer todas as coisas da maneira certa, em vez de ter o coração certo, e o resultado será uma absoluta falta de conexão. Quando Deus disse que nos guiaria com seus olhos, indicou que deveríamos estar tão próximos dele a ponto de termos condições de enxergar o que ele vê. Também devemos nos preocupar em saber o que há no coração de Deus para que sejamos movidos por sua compaixão. Caso você ainda não tenha percebido, Deus não o obrigará a tomar as decisões corretas, nem imporá a você um relacionamento com ele. Deus *nos orientará a* uma íntima conexão com ele.

Aquele meu amigo que sofreu por ser viciado em pornografia precisa implementar o padrão de Cristo em seu lar, ou seja, algo que não implique em punição, e também tem de estabelecer como seu maior objetivo buscar uma nova conexão com a família. Da mesma forma que Jesus conversou com Pedro, a família do meu amigo precisa saber que ele protegerá o coração de cada um deles! Se o coração deles não for importante o suficiente para fazer que o meu amigo mude suas ações e atitudes, o relacionamento entre eles continuará prejudicado. É a conexão com a família que precisa se transformar em um guia de luz e motivação para a restauração.

Não estou me dirigindo apenas a pessoas que conseguiram destruir a própria vida e a dos outros; estou falando também às pessoas que sofreram abuso, como eu. Os mesmos princípios se aplicam a nós. Quando alguém se arrepende e muda a forma de pensar, é preciso dar uma oportunidade para essa pessoa e estabelecer como alvo de ambos criar uma nova conexão. Se você não permite que a pessoa restaure o padrão de vida e se recusa vê-la através dos olhos de Deus, faz que essa pessoa continue sendo escrava dos erros do passado por causa dos seus julgamentos, e, no final das contas, ambos permanecerão presos em uma cova de destruição.

Restaurando os limites

Restaurar os limites da sua vida significa aprender a amar a si mesmo e aos outros de uma forma que promova o bem-estar. Já mencionei isso muitas vezes, mas o único relacionamento que você pode construir é aquele que não inclui punição.

No entanto, se você se envolveu em uma completa confusão, precisará investir bastante tempo se arrependendo e desfazendo a bagunça que causou. Provavelmente, você encontrará aquelas mesmas pessoas depois de um ano e ouvirá coisas do tipo: "Ainda não consegui engolir aquilo que você fez". Esse não será o momento em que você deve dizer: "Bem, sou uma pessoa transformada e, portanto, você precisa superar isso!". Essa é a hora para você sondar o seu coração e relembrar o momento em que pediu perdão àquela pessoa, fazendo tudo de novo, se for disso que ela precisa!

Reconheço que essa situação pode se tornar realmente complicada, pois com frequência é um cônjuge ou um filho que não consegue superar a dor e sempre traz o tema de volta, recusando-se a mudar a forma em que o vê. Na prática, essa pessoa não está buscando restaurar o relacionamento com você, mas apenas quer que você seja punido para que a justiça seja feita. Nesse caso, você precisará fazer essa pessoa saber que seus sentimentos e sua dor são legítimos, mas a única forma de restaurar o relacionamento é estender o mesmo perdão que Jesus ofereceu a você e a ela.

Ao restaurar os limites, é importante que você não apresente aquele tipo de discurso como: "Uma vez que Jesus me perdoou, estou livre para agir como quiser". Em vez disso, a mensagem que você deve apresentar é que está consciente de que as suas opções e atitudes causaram um dano imensurável. Você precisa mostrar que identificou no seu coração a raiz dos problemas que o levaram a se comportar da forma que o fez e que você protegerá o coração dessa pessoa pela transformação de sua mente!

Dizem que pau que nasce torto morre torto, mas o fato é que é possível, embora bastante difícil, mudar hábitos antigos. Para restaurar os limites e padrões de sua vida, você precisa ter paciência com o ambiente à sua volta, pois as pessoas terão dificuldades de confiar em você novamente e o enxergar com outros olhos.

> AO RESTAURAR OS LIMITES, É IMPORTANTE QUE VOCÊ NÃO APRESENTE AQUELE TIPO DE DISCURSO COMO: "UMA VEZ QUE JESUS ME PERDOOU, ESTOU LIVRE PARA AGIR COMO QUISER".

A comunicação é fundamental!

Trabalhei com o meu amigo (aquele ex-viciado em pornografia) durante meses, ajudando-o a sair daquele buraco em que ele figurava como o receptáculo da punição familiar. Eu o instrui a conversar com todos e pedir-lhes que mudassem a maneira de se dirigirem a ele e o jeito com que o tratavam para que não se sentisse punido. Também mostrei a ele que as aflições e necessidades de sua família eram reais e que ele precisava supri-las. Dessa forma, quando a esposa começasse o processo de punição, ele poderia fazê-la parar e esclarecer: "Estou me sentindo punido. Você poderia dizer isso de outra forma, ou há algo que eu possa fazer para você deixar de me depreciar?".

Para manter-se de pé e, ao mesmo tempo, conquistar o coração da esposa, ele teria de se esforçar muito e constantemente. Sem estabelecer novos limites, não haveria uma alternativa para que ele cuidasse de sua família. Sua família não precisava de um homem despedaçado; precisava de um homem com um padrão que cuidasse de seu coração e pudesse mostrar-lhe que eles também tinham valor.

A princípio, ele encontrou bastante resistência para implementar o novo padrão, pois a mudança assusta tanto quanto a morte. A esposa sempre desempenhara o papel de carrasco no relacionamento, e ele jamais havia estabelecido limites que a impedissem de praticar aquele abuso. Com o passar do tempo e após muitas lágrimas, ele começou a decifrar a forma de ouvir o coração da esposa e manter o padrão na família, utilizando-se de frases como: "Você parece bastante frustrada. Há algo que eu possa fazer para a ajudar?" ou "Estou tentando entender o que está dizendo, mas, quando você começa a me acusar, sinto necessidade de me defender. Há alguma outra maneira de dizer como está se sentindo de modo que eu não precise ficar na defensiva e possa de fato ouvir você?".

Algumas vezes, quando a esposa estava se sentindo realmente frustrada e incapaz de mudar sua forma de falar, ele buscava manter o foco no assunto e dizer coisas como: "Você está realmente tentando dizer que...?", conforme a conclusão à qual ele havia chegado sobre o que ela estava tentando comunicar. Nos últimos tempos, ele tem tentado mostrar que realmente gostaria de ouvi--la e concordar com o coração dela e, assim, diminuir a ansiedade da esposa; mas, ao mesmo tempo, ele não está disposto a manter esse ciclo disfuncional que eles desenvolveram na vida de casados.

Ao persistir na prática da boa comunicação, você pode afastar o temor de manter-se enclausurado no passado e oferecer às pessoas uma maneira de amá-las como elas realmente são. Independentemente de estar ou não consciente disso, é você quem ensinará às pessoas à sua volta quanto é bom amá-las. Você mostra aos outros como o devem tratar pela forma com que você mesmo se trata e como permite que outros o tratem. Tudo isso é responsabilidade sua. Independentemente de quanto tenha errado no passado, o perdão de Cristo dá permissão a você para restaurar o padrão na sua vida.

CAPÍTULO 13

O amor tudo sofre

Era um dia frio de inverno quando Jason entrou no meu escritório como se tivesse visto um fantasma. Eu (Kris) ainda me recuperava do colapso nervoso da minha filha mais velha, ocorrido havia dois meses e, por isso, não estava nas melhores condições para ouvir mais notícias ruins. Jason se atirou no sofá, segurando a cabeça.

— Pai, acho que o meu casamento acabou — disse ele, com os olhos cheios de lágrimas.

— De forma alguma, filho — protestei. — Deus pode consertar qualquer coisa.

— Pai... pai, você não entende, acho que a Heather está se encontrando com alguém.

Eu podia sentir o sangue invadindo o meu cérebro, enquanto lutava contra as lágrimas que teimavam cair dos meus olhos. Os meus pensamentos giravam como redemoinho enquanto a ansiedade tomava conta da minha alma.

O que acontecerá aos meus três netos se eles se divorciarem?, pensei. *Como uma mulher a quem amei como se fosse minha própria filha poderia trair o meu filho? Como uma mulher amada por um homem tão maravilhoso poderia pensar em escolher outra pessoa? Eu deveria ter percebido o risco de isso acontecer*, pensei, porque Jason já vinha me falando, havia semanas, que o relacionamento deles estava muito tumultuado.

Eu sabia que eles estavam passando por aconselhamento havia algum tempo, porém parecia que, quanto mais ele se dispunha a buscá-la, mais distante ela ficava. E, naquele dia no meu escritório, enquanto ele falava, rapidamente me conscientizei de que Jason havia chegado a um ponto em que seu coração estava tão despedaçado, e sua esperança havia sido tão frustrada, que ele não tinha nada mais a oferecer. Seu casamento estava arruinado, e a única coisa que ainda permanecia inteira na vida deles estava jogada ali, aos pedaços, no chão do meu escritório.

Nunca imaginei que as coisas chegariam a esse ponto. Apenas dois meses antes, Heather estava comigo em um palco na Holanda, ministrando de forma poderosa a milhares de pessoas. *Como ela poderia estar tendo um caso extraconjugal e ser usada tão poderosamente por Deus?*, pensei. As perguntas continuaram a inundar a minha mente enquanto eu lutava para confortar o meu filho totalmente arrasado.

Eu me ajoelhei na frente dele e o abracei. Não havia palavras, e nada que eu fizesse poderia aliviar sua dor. Apenas fiquei abraçado com ele por um longo tempo, para que ele tivesse certeza de que enfrentaríamos aquilo juntos, como uma família.

Os dias que se seguiram foram incrivelmente difíceis para nós. Embora a minha infância tenha sido terrível — o meu pai se afogara quando eu tinha 3 anos, e dois padrastos meus cometeram terríveis maus-tratos contra mim —, eu nunca havia experimentado uma dor como essa. Mesmo agora, faltam-me palavras para expressar a profundidade da minha angústia quando os fatos começaram a ser desvendados ao longo dos meses que se seguiram.

À noite, Kathy e eu nos arrastávamos para a cama exaustos, profundamente entristecidos e estarrecidos, lutando para encontrar forças em Deus e nas pessoas à nossa volta. Busquei no fundo da alma energia para consolar a minha família, mas o meu coração destruído, era incapaz de encorajar quem quer que fosse, muito menos a mim mesmo. Na maioria das vezes, acordávamos de noite e ficávamos deitados na cama, com lágrimas encharcando os travesseiros e fazendo uma poça no colchão. Era como um pesadelo do qual não conseguíamos despertar.

> EU ME AJOELHEI NA FRENTE DELE
> E O ABRACEI. NÃO HAVIA PALAVRAS, E NADA QUE
> EU FIZESSE PODERIA ALIVIAR SUA DOR.

No dia em que Heather saiu de casa, Jason ligou e perguntou se podíamos receber as crianças para contar-lhes que a mamãe e o papai estavam se divorciando.

— Claro — respondi. — Traga-os aqui e falaremos juntos com eles.

Eu queria confortar os meus netos e ajudar o meu filho, mas aquilo era uma retrospectiva das conversas que tive com a minha mãe em seus três casamentos. Vinte minutos depois, eles bateram à minha porta. O meu coração ficou em pedaços ao imaginar como receberiam a notícia.

Sentamos todos em volta da lareira, e Jason, que estava muito tenso, deu a notícia para as crianças. Elijah, com 8 anos na época, levantou, correu em minha direção e se atirou nos meus braços. Chorando descontroladamente, ele gritou:

— Não quero mais viver, não quero mais viver!

Rilie, na época com 6 anos, enterrou a cabeça no meu ombro e chorou silenciosamente. As lágrimas dela encharcaram a minha camisa, e lutei para encontrar palavras de consolo. Evan tinha apenas 4 anos e, portanto, ficou triste, mas não conhecia de fato as implicações da palavra "divórcio". Foi uma noite infernal, um momento que jamais esquecerei, independentemente de quanto tempo venha a viver.

A nuvem negra da depressão pairou sobre a nossa família nos dias que se seguiram, e estes se transformaram em semanas. Parecia que em cada esquina havia mais dor e angústia à espera. No final de julho, descobrimos que o rapaz com quem Heather estava se relacionando abandonara a esposa e o filho para morar com ela; e, logo em seguida, soubemos que Heather estava grávida dele. Lentamente, a estaca da dor estava sendo cravada no nosso coração enquanto todo esse pesadelo continuava a ser esclarecido.

Depois daquela tempestade de notícias ruins, não demorou muito para que a realidade atingisse Elijah, de 8 anos, provocando nele raiva e confusão. Quem poderia culpá-lo? Estava presenciando a mãe viver de forma totalmente oposta a tudo o que ele havia aprendido. Na tentativa de proporcionar algum tipo de paz a seu mundo interior, ele confrontou Heather e o namorado, dizendo que não aprovava o fato de eles dormirem juntos. Mas suas palavras foram ignoradas, aumentando ainda mais sua angústia.

Certo dia, Elijah e eu voltamos para casa juntos. O garoto estava extremamente quieto, algo incomum para ele, que parecia profundamente perturbado. Longos minutos se passaram até que ele se virou para mim e, olhando-me nos olhos, perguntou:

—Vovô ... Vovô, você gosta da minha mãe?

Seus olhos marejavam de lágrimas enquanto ele me olhava intensamente, buscando desvendar a minha alma. Eu sabia o que o meu neto queria realmente saber. Ele não estava perguntando se eu gostava da mãe dele; estava perguntando se eu poderia amar alguém de quem discordava tão desesperadamente. O tempo pareceu parar enquanto eu lutava para encontrar a resposta certa para nós dois. Eu conhecia a resposta bíblica. As Escrituras que falam sobre o perdão marcharam pela minha mente como soldados destemidos no campo de batalha da verdade. Mas essa não era uma aula da Escola Bíblica Dominical, tampouco uma discussão filosófica; era o meu neto em conflito, tentando desvencilhar-se de uma prisão amarga para poder confortar os irmãos e abraçar a mãe. Finalmente, com os meus lábios tremendo, eu disse:

— Elijah, que tipo de pessoas seríamos se amássemos somente aqueles com os quais concordamos? Sem dúvida, eu amo sua mãe. Sou o único pai que ela teve. E sempre a amarei, independentemente do tamanho do erro que ela tenha cometido.

Elijah explodiu:

— Eu também a amo, vovô! Eu também a amo!

Era como se alguém tivesse aberto uma garrafa de *champagne*. A fisionomia do meu neto se iluminou repentinamente, e seus olhos brilharam novamente com vivacidade deslumbrante. O garoto tinha o direito de amar alguém que havia causado tanto estrago não só à sua vida, mas também à vida daqueles com quem ele mais se importava. O meu neto estava livre do peso de ter de transformar a mãe para poder amá-la. Ele tinha permissão para mostrar afeição pela pessoa que o havia traído. Poderia viver novamente, e sabia disso.

Os meus netos frequentavam a escola cristã situada no *campus* da nossa igreja. Heather costumava buscar as crianças algumas vezes por semana após a aula, exercendo seu legítimo direito de visita. Com frequência, eu a via do meu escritório esperando no carro até que as crianças saíssem da aula. Eu fingia não notá-la ali esperando e fazia de tudo para que os nossos olhos jamais se cruzassem. Raiva, traição, ódio e confusão enchiam a minha alma toda vez que a presença dela me confrontava.

Por culpa de Heather, eu passara três meses jogado no sofá, debilitado, tentando superar a depressão. Ela havia destruído a minha família, e, honestamente, eu a odiava por isso. Eu não queria saber de reconciliação. Na verdade, queria que ela pagasse por seus pecados. Desejava, diariamente, que ela morresse. Logicamente, tomava cuidado para não deixar que esse monstro destruidor escapasse do porão da minha alma. Eu dizia as coisas certas durante o dia, mas à noite alimentava o monstro enraivecido naquela alcova infestada de ratos na qual meu coração havia se transformado. Eu não queria que ninguém soubesse quão tóxico me sentia.

O MEU NETO ESTAVA LIVRE DO PESO DE TER DE TRANSFORMAR A MÃE PARA PODER AMÁ-LA. ELE TINHA PERMISSÃO PARA MOSTRAR AFEIÇÃO PELA PESSOA QUE O HAVIA TRAÍDO. PODERIA VIVER NOVAMENTE.

Então, aconteceu. Eu estava parado no estacionamento conversando com alguém, quando ela estacionou exatamente à minha frente. Tenho certeza de que ela não me vira até ser tarde demais. Olhei para o carro parado a alguns metros de onde eu estava. Os nossos olhos se cruzaram, e um turbilhão de emoções contraditórias invadiu o meu coração. Compaixão e ódio guerreavam juntos contra a minha alma. Fiquei paralisado no meio do estacionamento. Queria sair correndo, mas as minhas pernas não se submetiam às minhas emoções.

Encaramos um ao outro durante o que pareceu uma eternidade. De repente, a porta do carro se abriu. Heather saiu do carro e parou ao lado da porta do motorista. O meu coração explodia no meu peito à medida que ela se aproximava. Tudo estava acontecendo muito rapidamente para que eu pudesse me recompor. Antes que eu pudesse me mover, ela se atirou nos meus braços e enterrou o rosto no meu peito. Suas lágrimas escorreram pela minha camisa enquanto ela chorava descontroladamente. Senti-me como se estivesse sendo partido em dois. A minha mente a odiava, mas o meu coração a amava. A minha mente queria afastá-la de mim, mas o meu coração ansiava por abraçá-la e perdoá-la.

— *Por favor... por favor, me perdoe!* — clamava ela. — Eu destruí minha família. Arruinei a minha vida. Acabei com a vida do Jason e despedacei o coração dos meus filhos. Traí você e a mamãe. *Você me perdoará algum dia?*

> SENTI-ME COMO SE ESTIVESSE SENDO PARTIDO EM DOIS. A MINHA MENTE A ODIAVA, MAS O MEU CORAÇÃO A AMAVA. A MINHA MENTE QUERIA AFASTÁ-LA DE MIM, MAS O MEU CORAÇÃO ANSIAVA POR ABRAÇÁ-LA E PERDOÁ-LA.

Apenas um mês antes, eu havia ajudado Elijah a processar sua amargura para com Heather, lembrando-o das palavras de Jesus: "Que mérito vocês terão, se amarem aos que os amam? Até os 'pecadores' amam aos que os amam" (Lucas 6.32). Isso pareceu mais fácil quando eu estava ensinando Elijah a amar a mãe. Mas agora era eu quem precisava perdoar e amar.

Nunca fui o tipo de pessoa capaz de esconder os sentimentos ou fingir que tudo está bem quando isso não é verdade. Eu sabia que, não importava o que acontecesse naquele estacionamento, teria de conviver com essa atitude pelo resto da minha vida. Eu já pregara inúmeras vezes sobre a graça de Deus que perdoa os nossos pecados, restaura a nossa alma e cura o nosso coração, embora não mereçamos nada disso. Pensei em como Jesus se sentiu quando foi traído pelas mesmas pessoas que havia alimentado, curado e libertado. Quão devastador deve ter sido olhar para baixo, quando estava pregado na cruz, e ver as pessoas que ele

tão desesperadamente amava, gritando: "Crucifica-o! Crucifica-
-o!". Estas palavras soaram como trovões em minha mente: "Pai,
perdoa-lhes, pois não sabem o que estão fazendo" (Lucas 23.34).

Eu sabia que, assim que dissesse "Heather, eu perdoo você",
estaria abrindo mão do direito de puni-la. Isso significaria que
ela poderia viver feliz para sempre, apesar de ter destruído a
minha família, traumatizado os meus netos e traído o meu filho. Isso sem falar no fato de que, quando ela se envolveu com
outro homem, a esposa dele estava grávida do primeiro filho do
casal. Portanto, havia ajudado a destruir a família dele também.
Haveria outra criancinha que não teria o pai por perto porque
Heather o seduziu de forma egoísta.

Heather não merece ser perdoada; ela merece ser punida!, considerei. Mas eu também não deveria ser punido? Não fui perdoado
enquanto era ainda um pecador?

As Escrituras transformaram-se em soldados; e o meu coração,
em um campo de batalhas. Aquilo que eu pregava com tanta liberdade e eloquência no púlpito agora guerreava contra as muralhas da
minha alma. Honestamente, lá no meu íntimo, eu não estava seguro
se realmente queria vencer essa batalha. Será que eu queria mesmo
que o perdão vencesse e Heather partisse com a permissão de viver
uma vida feliz? Ou eu queria que a justiça prevalecesse de forma que
ela ficasse presa às cadeias de suas próprias escolhas pelo resto da
vida? O princípio do perdão, que me pareceu tão evidente por tantos anos, agora estava encoberto pelas nuvens das minhas próprias
circunstâncias, emoções e reivindicações de justiça.

*Como eu me sentiria se visse Heather e o namorado rindo e se divertindo juntos enquanto o meu filho, enlutado, sofria a perda da esposa? Será
que, se eu a perdoasse, estaria traindo a lealdade que devia ao meu próprio
filho? Se eu lhe demonstrasse amor, isso seria encarado pela própria Heather*

como um sinal de que o que ela havia feito não tinha sido tão grave assim? Essas perguntas eram como granadas explodindo dentro do meu coração. A verdade é que imaginei, em diversas oportunidades nos meses que antecederam esse encontro, que esse dia chegaria. O meu coração se enchia de ansiedade toda vez que eu me imaginava nessa situação com Heather.

Finalmente, algo poderoso aconteceu comigo. Uma imensa compaixão por Heather repentinamente tomou conta de mim. Parece que veio do nada. No minuto anterior, eu a odiava, mas agora sofria e lamentava por ela. Eu conseguia sentir a dor da minha ex-nora e entendi sua sensação de estar completamente destruída pela confusão que ela mesma havia criado.

Imaginei-a tentando sair sozinha daquele buraco cheio de lama imunda no qual ela mesma se enfiou. Podia ver a imagem dela tentando escalar esse atoleiro: os dedos cobertos de sangue, o rosto cheio de barro e o cabelo completamente sujo e suado. Então, ela estende a mão pedindo ajuda. E eu lá, parado na frente dela, perplexo pela cena em que essa bela mulher se encontrava, totalmente emocionado pelo seu quebrantamento. Então, estendo a minha mão e seguro a dela. Sangue e lama cobrem o meu corpo enquanto luto para tirá-la daquele buraco. Mas o que mais me comoveu foi a expressão de seu rosto quando ela viu que eu havia estendido a mão para ajudá-la. A esperança encheu seu olhar como se ela dissesse: *Obrigada por enlamear a sua alma para resgatar a minha vida.*

A visão acabou, e eu sabia o que deveria fazer. Abracei-a e sussurrei em seu ouvido:

— Eu a perdoo! Eu a perdoo, Heather! E eu a amo da mesma forma que amo as minhas filhas.

Seu choro tornou-se mais intenso enquanto eu a abraçava e falava gentilmente com ela.

— Sinto muito! Sinto muito! — ela continuava a repetir.

— Vai ficar tudo bem — respondi, com fé envolvendo o meu coração. — Vamos superar tudo isso juntos.

Passei a mão no cabelo dela e a confortei.

Ambos sabíamos que o casamento de Heather e Jason havia realmente terminado. Mas a vida continuaria, e Kathy e eu estaríamos ao lado dela pelo resto da nossa vida.

Visitamos Heather muitas vezes nos vários meses que se seguiram. Lentamente, mas com firmeza, reconstruímos o nosso relacionamento, e Deus restaurou o nosso amor por Heather.

Em 25 de agosto, recebemos um telefonema de Heather informando que havia entrado em trabalho de parto e seria levada imediatamente para o hospital. Estávamos na Austrália e não poderíamos voltar para casa até o dia seguinte.

Quando o nosso avião pousou, fomos direto para o hospital. O bebê, Jackson, havia nascido um dia antes. Era realmente uma graça, com suas mãozinhas e seus pezinhos. O bebê despertou outra crise na minha alma. Não conseguia compreender os sentimentos que tive por aquela nova vida. Aquilo realmente não fazia sentido para mim.

Então, certo dia, Elijah e eu estávamos mais uma vez juntos no carro. Elijah, que em geral era muito falante, estava excepcionalmente quieto. Eu sentia a tensão no carro. Tentei puxar conversa, mas ele, cabisbaixo, respondia às minhas perguntas com monossílabos. Ficou evidente que estava bastante apreensivo.

Fiquei imaginando se o meu neto se abriria e conversaria comigo. Dirigimos em silêncio por vários minutos. Finalmente, Elijah levantou a cabeça na minha direção e com lágrimas nos olhos disse:

— Vovô, você gosta do bebê, o Jackson?

Antes que eu pudesse responder, ele me perguntou novamente (dessa vez com mais intensidade):

—Vovô, você gosta do Jackson?

Percebi, de repente, o que ele queria saber. Ao ponderar sobre qual seria a resposta certa para aquela pergunta, descobri a razão do meu próprio conflito. O que Elijah estava perguntando na verdade era: *Posso amar a criança que é o fruto do relacionamento que destruiu a minha família?* Até aquele dia, eu não havia conseguido expressar em palavras o meu próprio sentimento em relação ao bebê. Mas, quando Elijah me perguntou se eu gostava de Jackson, dei-me conta de que no fundo queria dizer: *Não!*

Aquilo não era algo racional nem uma atitude que eu havia cultivado de forma consciente. Na minha mente, estava claro que Jackson era tão vítima das circunstâncias quanto qualquer um de nós. Ele não pediu para nascer fora de um casamento. Certamente, não era seu desejo ser o fruto de um relacionamento imoral que destruiu duas famílias. Eu, na verdade, admirava Heather por não ter abortado e, desse modo, provocar outra tragédia.

Elijah, porém, havia revelado o segredo do nosso coração. De uma maneira estranha, queríamos culpar Jackson pela dor que ambos sentíamos. Essa atitude era errada, e eu sabia disso. Esse equívoco precisava ser trabalhado, aqui e agora.

Elijah havia revelado o segredo do nosso coração. De uma maneira estranha, queríamos culpar Jackson pela dor que ambos sentíamos.

Consegui me recompor rapidamente e disse:

— Elijah, toda criança é um presente de Deus, independentemente das circunstâncias de seu nascimento. Eu amo o Jackson!

—Vovô, eu também amo o Jackson! — disse ele, com lágrimas escorrendo pelo rosto. — Eu também amo o Jackson. Ele é tão fofo! — disse novamente, agora de forma mais enfática.

Jackson tornou-se o nosso oitavo neto. Há pouco tempo, toda a nossa família, incluindo Jason, Kathy e eu, esteve na casa de Heather para comemorar o primeiro ano do menino. Quando Jason segurou o menino no colo, e o beijou, e o amou, eu soube que havíamos chegado a um lugar especial do coração de Deus. Eu tinha uma sensação profunda de que Deus estava trazendo a vitória em meio a toda a tragédia e também uma maravilhosa mensagem em meio a grande confusão: somos testemunhas vivas de que Deus conforta TODOS os que choram.

Já se passaram mais de três anos desde o terrível dia em que Jason entrou no meu escritório e me disse que seu casamento havia chegado ao fim. Houve muitos dias tenebrosos em que me questionei se conseguiria seguir em frente. Fiquei acordado por muitas noites com imagens que me atormentavam com relação à nossa família. Fico constrangido em admitir que, com frequência, questionei a capacidade de Deus de nos redimir naquela situação e também questionei sua bondade. Às vezes, eu me culpei por não ser um pai mais bem preparado e, acima de tudo, por ter encorajado Jason a se casar com Heather.

Aqueles dias pesarosos e turbulentos passaram. Eu gostaria de poder dizer que essa história acaba como o final de todo maravilhoso conto de fadas, em que Jason e Heather viveram felizes para sempre com suas respectivas famílias. No entanto, algumas vezes a vida real é bem mais complicada que isso; ainda assim, Deus nos mostra um caminho para construir, de ruínas, belos palácios.

No momento em que escrevo este livro, a nossa família tem um ótimo relacionamento com Heather, com Jackson e até mesmo com o namorado dela. Nós nos encontramos com certa frequência e conseguimos cultivar um amor genuíno uns pelos outros.

As três crianças se adaptaram à situação e estão muito bem. Quando você ler este livro, Jason já terá se casado com uma bela jovem chamada Lauren, a quem muito amamos e respeitamos. As crianças estão animadas em compartilhar a vida com Lauren e aprenderam a conviver com ela. Heather tem incentivado os filhos a desenvolverem um ótimo relacionamento com Lauren, o que tem contribuído para ajudá-los a não terem de optar entre duas pessoas que realmente amam.

O amor tudo suporta

Durante os momentos mais difíceis da minha vida, agendei uma consulta com um conselheiro amigo meu. É claro que a primeira pergunta que ele fez foi:

— Por que você está aqui?

Contei a história de Jason e Heather e expliquei como eu me sentia desanimado e deprimido com toda aquela situação.

Ele me perguntou novamente:

— Por que você está aqui?

— Eu já disse — respondi. — Estou desanimado e deprimido.

Ele continuou a me fazer a mesma pergunta.

Finalmente, com uma voz bastante frustrada, perguntei:

— *Aonde você quer chegar?*

— Bem — disse ele —, a Bíblia afirma que o amor tudo suporta. Você está sofrendo porque as pessoas que ama estão sofrendo. Jesus disse que devemos chorar com os que choram. Você está lamentando porque sua família está sofrendo. Está se comportando da forma que Jesus ensinou. Quando tudo acabar, poderá se alegrar com os que se alegram. Até lá, confie sua família a Deus e saiba que, na hora certa, tudo chegará ao fim.

Há alguns meses, em uma reunião com toda a equipe, Bill Johnson convidou Jason (um de nossos pastores) para vir à frente.

Jason anunciou seu noivado com Lauren. Bill pegou o microfone e disse:

— Choramos com os que choraram; agora vamos nos alegrar com os que se alegram!

Cerca de 200 pessoas da nossa equipe estavam presentes naquele dia. Todos se levantaram e, com uma alegria incontida, comemoram com risos e lágrimas de felicidade. A Bíblia diz: "[...] o choro pode persistir uma noite, mas de manhã irrompe a alegria" (Salmos 30.5).

Mantendo viva a esperança

Algumas vezes é fácil pensar que Deus favorece certas pessoas ou que a situação na qual nos encontramos está além da capacidade de Deus de nos libertar (em especial, durante as noites mais tenebrosas). Conheço muito bem esses sentimentos. Mas a verdade é que não há nenhuma situação que seja impossível para Deus.

Abraham Lincoln é um dos meus heróis. Ele é um dos "pais da nação" (os Estados Unidos) e um mestre na perseverança e na esperança. Nós o conhecemos como um dos mais populares presidentes na história norte-americana. Ainda assim, a lista de problemas e fracassos de Abraham Lincoln é a mais impressionante chama de luz e esperança no mundo. Veja o que se passou na vida dele:

- 1818 — sua mãe morre quando ele tem 9 anos de idade.
- 1831 — seus negócios fracassam.
- 1832 — ele perde a oportunidade de ocupar um posto no poder legislativo.
- 1833 — ele volta aos negócios; a concorrência com uma grande empresa o força a encerrar novamente as atividades.
- 1833 — seus bens são confiscados quando ele não pode pagar suas dívidas.

- 1835 — sua futura esposa morre.
- 1843 — seu partido político não o nomeia para o Congresso.
- 1853 — seu filho morre.
- 1854 — ele perde por seis votos a eleição para o Senado.
- 1860 — ele é eleito presidente dos Estados Unidos (e novamente em 1864).

Esse foi um jovem que sabia se levantar depois de receber uma pancada. Uau!

Milhares de anos atrás, Salomão escreveu as seguintes palavras: "Onde não há revelação divina, o povo se desvia" (Provérbios 29.18). Abraão Lincoln se manteve firme no projeto que tinha em meio às mais densas trevas de sua alma. Há muita verdade contida nessas simples palavras. A visão e os projetos mantêm a esperança viva em nós. A falta de esperança funciona como um assassino em série. Sem esperança, não há fé; e, sem fé, o mundo torna-se um lugar insuportável onde vivermos.

Deus é mestre em buscar e resgatar. Quando tudo parece sombrio na nossa vida, precisamos simplesmente seguir em frente e ali encontraremos o Senhor. Quando Daniel foi lançado na cova dos leões e tudo parecia escuro e sem esperança, Deus o salvou. Quando Sadraque, Mesaque e Abede-Nego foram jogados na fornalha fumegante, Jesus os libertou. Quando Deus encontrou um homem completamente enganado por mentiras a ponto de matar os cristãos, Deus se apresentou a ele na estrada de Damasco e mudou seu nome de Saulo para Paulo, tornando-o um dos maiores homens de Deus que já receberam graça neste planeta.

As histórias sobre a maravilhosa capacidade de Deus de transformar as pessoas continuam. Basta ver a história do gadareno endemoninhado; a de Lázaro, que já estava morto havia três dias;

a de Maria Madalena, a prostituta. E temos a história de José, que foi vendido como escravo, mas se tornou príncipe; e de Davi, que derrotou um gigante com uma pedrinha e depois degolou-o.

> A VISÃO E OS PROJETOS MANTÊM A ESPERANÇA VIVA EM NÓS. A FALTA DE ESPERANÇA FUNCIONA COMO UM ASSASSINO EM SÉRIE. SEM ESPERANÇA, NÃO HÁ FÉ; E, SEM FÉ, O MUNDO TORNA-SE UM LUGAR INSUPORTÁVEL ONDE VIVERMOS.

Não há nenhuma dificuldade na sua vida que Deus não possa vencer. O que quer que aconteça com você, lembre-se disto: *Jesus é mestre em construir palácios de ruínas.* Nunca é tarde demais para ele redimir uma situação. Não importa quão profunda tenha sido sua queda ou quão grande seja a confusão em que você mesmo se envolveu na vida, "[Jesus] é capaz de fazer infinitamente mais do que tudo o que pedimos ou pensamos" (Efésios 3.20).

Deus é especialista no impossível; e, independentemente de como você se sente, ele está *ao seu lado!*

Agradecimentos

Há muitas coisas que, por si sós, são bem maiores que eu; entretanto, há poucas coisas que não conseguimos superar como família.

Tanto a disciplina quanto o carinho daqueles que mais amo me transformaram no homem que sou e, por isso, serei eternamente agradecido. Dizem que a formação do caráter de um homem é forjada pelos desafios que ele enfrenta e pelas pessoas com quem convive. Eu acrescentaria: sem o apoio das pessoas à nossa volta, jamais realizaremos os nossos sonhos. Sem a sabedoria e a disposição do meu pai e da minha mãe, este livro não passaria de um sonho, e a vida, como a percebo, deixaria de existir. Vocês têm sido um farol em um mar revolto, incentivando-me quando atravessei as mais densas trevas da noite, consolando-me com palavras amorosas de que tudo passará e instruindo-me a continuar no caminho certo.

Creio que um homem é incompleto sem a afeição de amigos íntimos. Da mesma forma que o ferro afia o ferro, experimentamos desgastes e conforto em todos os relacionamentos, e, nessas circunstâncias, a verdade se apresenta ao homem como ela realmente é. Sem a lima, a faca jamais seria afiada; se não contássemos uns com os outros, concluiríamos que o amor incondicional e a humanidade seriam simplesmente uma teoria. Mas, nos meus relacionamentos mais íntimos, o lado áspero da minha vida foi tratado e suavizado. E, pelo apoio que recebi de alguns homens, fui transformado na pessoa que Deus me criou para ser. Hoje sei que sempre serei amado. A Jerome E., Jeremy R., Mark P., Danny S., Jeff N., Keith A., Cameron R. e Marty P, e àqueles amigos com quem compartilhei a minha vida, um simples obrigado soa insuficiente. O que vocês fizeram por mim é indescritível. Por causa de vocês, amigos, sei que sempre terei um lugar seguro onde processar as minhas emoções, ou para explodir se sentir necessidade, pois a amizade de vocês é um porto seguro. Obrigado!

Lauren, não há espaço suficiente para tudo o que eu gostaria de dizer. Você é realmente um lírio no meio dos espinhos, uma pedra preciosa no meio dos pedregulhos. Seu encorajamento e sua fé representam muito para mim. Eu não poderia imaginar uma mulher mais maravilhosa com quem compartilhar a minha vida; você é mais do que imaginei que poderia ter. Mal posso esperar para ver o que produz o poder de dois em um. Amo você!

Jason

Sobre os autores

Kris Vallotton é o autor de vários livros e conferencista requisitado. Tem paixão por ser um instrumento de transformação na vida das pessoas.

É um dos fundadores da Bethel School of Supernatural Ministry, em Redding, Califórnia, organizada em 1988, que conta atualmente com mais de 1.200 alunos em tempo integral. É líder sênior na Bethel Church e faz parte da equipe apostólica de Bill Johnson há mais de trinta e dois anos.

Kris é também fundador e diretor executivo da Moral Revolution, uma organização dedicada à reforma global da cultura sexual.

Kris e sua esposa, Kathy, são casados e felizes há mais de trinta e cinco anos. Tem quatro filhos e oito netos.

Para informações adicionais, por favor, visite:

<www.kvministries.com>

Jason Vallotton nasceu e foi criado em Weaverville, Califórnia, uma pequena cidade conhecida pelas paisagens montanhosas e pelo ritmo de vida tranquilo. Ele amadureceu rapidamente, casando-se com seu primeiro amor aos 18 anos e, aos 24, já tinha três filhos (Elijah, Rilie e Evan).

A vida de Jason foi repleta de desafios: sustentar a família e trabalhar como bombeiro nas montanhas da Califórnia e, posteriormente, superar a dor de ver seu casamento terminar em 2008. É um verdadeiro testemunho de como a perseverança e o amor incondicional desempenham um poder redentor na vida das pessoas.

O amor pelas pessoas e seu interesse por ajudá-las a alcançar a plenitude levaram-no a Redding, Califórnia, onde atua como pastor na Bethel Church e serve na School of Supernatural Ministry. Atualmente faz parte da junta diretora do Moral Revolution; é palestrante e conselheiro. É coautor do livro *Moral Revolution*, ao lado do pai, Kris Vallotton.

Jason experimentou as tempestades da vida e alcançou a outra margem do rio; por isso, tem paixão por ver pessoas restauradas à plenitude e completa liberdade, como Deus as criou.

Com sua esposa, Lauren, tem três filhos. A família vive em Redding, Califórnia.